À l'heure du loup

DU MÊME AUTEUR

Récits

L'Œil américain, Histoires naturelles du Nouveau Monde, illustrations de Pierre Lussier, Boréal/Seuil, 1989.

Lumière des oiseaux, Histoires naturelles du Nouveau Monde, illustrations de Pierre Lussier, Boréal/Seuil, 1992.

La Vie entière, Histoires naturelles du Nouveau Monde, illustrations de Pierre Lussier, Boréal, 1996.

Le Regard infini. Parcs, places et jardins publics de Québec, photographies de Luc-Antoine Couturier, collaboration de Jean Provencher, Éditions Multi-Mondes, 1999.

Poésie

Poèmes de la froide merveille de vivre, Éditions de l'Arc, 1967. Épuisé.

Poèmes de la vie déliée, Éditions de l'Arc, 1968. Épuisé.

Au nord constamment de l'amour, Éditions de l'Arc, 1970. Épuisé.

Lieu de naissance, l'Hexagone, 1973. Épuisé.

Torrentiel, l'Hexagone, 1978. Épuisé.

Effets personnels, l'Hexagone, 1986.

Quand nous serons (poèmes 1967-1978), l'Hexagone, 1988.

Les paroles qui marchent dans la nuit, Boréal, 1994.

Théâtre

Marlot dans les merveilles, pièce pour les enfants, Leméac, 1975.

Tournebire et le malin Frigo suivi de *Les Écoles de Bon Bazou,* pièces pour les enfants, Leméac, 1978.

Charbonneau et le Chef, adaptation avec Paul Hébert du texte anglais de J. T. McDonough, Leméac, 1974.

Les Passeuses, Leméac, 1976.

Disque et cassette

Une journée chez les oiseaux, Société zoologique de Québec, 1981.

Pierre Morency

À l'heure du loup

Illustrations de l'auteur

Boréal

L'auteur remercie pour leur aide le Conseil des Arts et des Lettres du Québec et le Conseil des Arts du Canada.

Les Éditions du Boréal remercient le Conseil des Arts du Canada ainsi que le ministère du Patrimoine canadien et la SODEC pour leur soutien financier.

Les Éditions du Boréal bénéficient également du Programme de crédit d'impôt pour l'édition de livres du gouvernement du Québec.

© 2002 Les Éditions du Boréal
Dépôt légal : 4ᵉ trimestre 2002
Bibliothèque nationale du Québec

Diffusion au Canada : Dimedia
Diffusion et distribution en Europe : Les Éditions du Seuil

Données de catalogage avant publication (Canada)

    Morency, Pierre, 1942-

    À l'heure du loup

    ISBN 2-7646-0200-6

    I. Titre.

PS8526.067A72	2002	C848'.54	C2002-941730-9
PS9526.067A72	2002		
PQ3919.2M67A72	2002		

À Renée

La nature aime à se cacher.

HÉRACLITE D'ÉPHÈSE, DIT L'OBSCUR.

RETROUVAILLES SUR LA VOIE LACTÉE

Il y a quelques années j'ai loué, au bord du Saint-Laurent, un chalet assez retiré, voisin d'une cabane elle-même enfouie sous les pins, qui fut occupée tout un été par un homme dont l'amitié, depuis, a illuminé ma vie. Bien avant notre première rencontre, je lui avais donné, pour des raisons fantaisistes, le nom de Trom. Un jour, en fin de compte, il eut vent de l'existence de cette appellation. Loin de s'en formaliser, il alla même jusqu'à l'utiliser pour certaines de nos communications. Sa compagne elle aussi en est venue à l'adopter pour leur correspondance et quelquefois pour leurs échanges familiers.

Trom, on s'en souvient peut-être, avait une compagne qu'il appelait Minne[1]. C'est elle d'ailleurs, cette belle femme douée

---

1. *Le lecteur se reportera aux* Paroles qui marchent dans la nuit, *précédé de* Ce que dit Trom, *Boréal, 1994.*

d'un feu paisible et d'un penser véloce, qui m'a permis de retrouver mon ancien voisin, deux ans après nos vacances communes sur cette grève de l'estuaire. J'ai rencontré Minne dans une librairie du Vieux Québec. Elle m'apprit alors que Trom et elle, de retour d'un long voyage à l'étranger, venaient de s'établir dans notre ville. Une semaine plus tard, nous nous sommes retrouvés ; depuis, il y eut peu de jours que nous n'ayons passé, en promenade ou dans sa mansarde avec vue sur le parc, au moins une heure ensemble.

CHEZ TROM

MORT ET VIE

Trom, d'après ce qu'il m'a confié, mit beaucoup de temps avant de venir au monde.

Dans une première vie, il passa vingt ans au sein d'une famille nombreuse, se vit comme Tarzan des ruisseaux et capitaine des ponts, but à même le chant des oiseaux, connut des truites et des anguilles, dans l'étroit rêva de grand large, imagina d'incroyables chevauchées ou de fabuleuses explorations dans les plaines du Grand Nord, vers cette lumière qui brûle et qui parfois délivre.

Étudia les humanités, omit de jeter sa gourme, s'éprit d'une jeune fille qu'il enleva pour la conduire en une contrée dont elle ne put supporter, après quelques années, l'air franc et le climat rebelle. Elle en mourut.

De retour au pays, Trom enseigna le français dans un pénitencier, devint masseur de moines au couvent, tâcheron de la radiographie, chercheur d'or au flanc du mont Finance. Il serait peut-être arrivé à trouver un filon, mais il décida de tout lâcher. Jeune encore, il s'abandonna à ses démons : le refus du joug, un appétit féroce de lectures lentes, la pêche à la ligne, le dessin à l'encre de Chine, la navigation sur un fleuve de papier, et, surtout, l'exercice quotidien d'une curiosité pour tous ces vivants qui volent, qui chantent, et plus précisément qui volent en chantant.

La rencontre de Minne, au milieu de la trentaine, lui donna le goût de clarifier son cœur et d'atteindre la force de son âge.

HOMME DE PLUME
ET DE SOULIERS

Trom est un homme qui essaie de réfléchir au sens de la vie. Il va vers une conscience de sa place dans le monde, conscience du passage du fleuve, de l'importance des transformations qui mènent du vieil homme à l'homme unifié, celui qui est capable d'unir sa solitude à une autre solitude, pour vivre une vie plus ample. Celle où pensée et sensation se compénètrent, celle où travail et amour s'entraident, où lucidité s'accorde au plaisir.

Trom aspire à se donner un regard aussi frais que le cristal, une main habile, un corps endurci par la marche, et donc capable de produire des pensées incarnées.

Trom est un être du dehors et du dedans. Sa maison est le lieu de sa naissance toujours recommencée, le lieu où il acceptera sans trop de douleur de mourir. Lieu de son travail et de son amour, gîte et école, caverne et portail sur la vie partagée.

Trom s'est mis au dessin et à l'aquarelle dans le seul but de peupler sa vie de transparence. Les lignes qu'il invente sont des sentiers où il s'aventure pour trouver des lieux de mue et de métamorphose.

Trom est devenu avec les années — surtout depuis qu'il est entré dans l'heure du loup — animé d'un fort quant-à-soi à l'égard des faciles amitiés. Il évalue les êtres, jauge leur degré de maturité, se demande s'ils possèdent un équilibre entre ferveur et jugement, entre fraîcheur et audace, bonté et assurance. Une personne incapable de nommer au moins dix plantes indigènes, dix arbres, dix oiseaux de son pays, ne peut trouver grâce aux yeux de Trom. De même que tout individu hostile à la fidélité, à la cohérence, à la force intérieure, à la poésie. La connaissance de l'histoire, l'étude de tout ce qui concerne le pays natal ou d'adoption est un atout majeur. Mais en s'abreuvant à la fontaine de la fierté nationale, il est sage, selon lui, de se donner cette intranquillité qui tempère la complaisance.

Trom regarde. Il regarde pour voir ce qui vit alentour : le végétal, l'animal, les signes du ciel, la nature qui est le vrai mystère de ce monde ; il regarde ses proches et ses lointains, il surveille le pourquoi des agissements, et pour cet exercice la présence de Minne a toujours été capitale.

Homme de souliers et homme d'oiseaux. Il peut marcher longtemps pour voir la vie d'un seul volatile. Pourquoi ? Parce que les oiseaux sont légers et frais, ils chantent et volent, ils changent de peau, inventent leur parure, tissent des abris délicats, ils voyagent en étant pauvres, ils invitent au dépouillement et à la prudence, à l'évaluation constante de la situation. Porteurs d'un feu très fort en un corps exigu, ils sont une beauté qui apparaît soudain, offerte par le hasard — et dispensent toujours une émotion non frelatée. À chaque seconde ils sont totalement dans la vie. En toutes langues de l'univers leur nom est traversé par une légèreté de sons. La langue française a mis dans le mot oiseau toutes les voyelles de l'alphabet.

Trom est sensible au temps qu'il fait et à l'espace que l'on se fait.

Un être de plume, Trom. Plume pour dessiner son propre regard, plume pour tracer la forme de sa pensée. Plume sur la tête de la déesse Maât: de justice, d'évaluation de la légèreté des cœurs. Plume aussi de la beauté volante.

Transmettre tout simplement le plaisir qu'il prend au maniement quotidien de la plume. Ce qu'il dit n'a d'autre valeur que celle d'un legs, d'une expression de cette vie qui passe à travers lui.

OÙ EST DONC SON PAYS ?

Loin de tout ce qui vocifère. Loin de tout ce qui n'en finit pas de crisser. Loin des grands mots, des paroles de fer. Loin des cris, loin des miracles. Loin des rubans de convenance. Loin des promesses aux beaux atours. Loin des rinçures du marché. Loin des émules dévorants. Loin des goules aux palais fins. Loin des arracheurs de temps. Loin des bombeurs de torse. Loin des sourires en coin. Loin des chiens qui lèchent pour avoir. Loin des musiques qui rallient. Loin des marchands de vide. Loin des anathèmes de courtoisie. Loin des charmes et des secrets. Loin des vacarmes. Loin du polisseur des armes. Loin des chefs au beau bonnet. Loin de ceux qui dévo-tionnent. Loin de ceux qui nous barbèlent. Loin de la gent tatillonne acoquinée avec le ciel. Loin des pète-sec et des malins. Loin des discours en bois jolis. Loin des édiles qui se vendent et loin de leurs madames. Loin des masques de pitié. Loin des avachissements. Loin de tout ce qui ressemble trop à de l'hommerie. Loin des tourments. Loin des mange-tout et des avale-midi. Loin de l'homme qui n'a pas vu la Grande Ourse. Loin des flambeurs de fonds publics, des vire-de-long qui nous détroussent. Loin des sables pour autruches. Loin des fiefs de la magie. Loin des bâfreurs et des preneurs aux livres d'autrui. Loin des blesseurs de peaux et des soigneurs de peu. Loin de ceux qui espèrent le paradis et qui sèment l'enfer en leur famille. Loin de tout cela Trom a choisi de se tenir. Et de conserve avec Minne, passe à sa manière sur la terre.

CHEZ TROM

Il y a, parmi une douzaine de fenêtres, celle qui en ce moment laisse entrer un matin chargé de cris d'oiseaux et de rumeurs citadines. On voit une large bande de ciel, des toits noirs, des cheminées, une girouette, des fils électriques, des arbres qui n'ont pas encore leurs feuilles et, derrière, une des rues les plus calmes du quartier. Un peu plus loin, vers l'ouest, la ville murmure en sourdine. Mais ici, au plus près, un vent tenace agite les branches qui disent : as-tu vraiment regardé l'arbre qui te donne la mesure de midi ? Sais-tu être radieux quand perce le printemps ?

Il y a, sur un rayon de la haute bibliothèque, masquant à peine le dos de trois ou quatre volumes, une petite sculpture inuite finement stylisée que son ami Duve lui a rapportée jadis des îles Belcher, perdues dans la baie d'Hudson, au large de l'Ungava. Elle représente, pour qui la regarde avec soin, un oiseau de proie (un gerfaut?) qui tourne la tête vers l'observateur et qui lui dit: et la vie dans votre vie? Dans votre vie d'une seule journée, combien de minutes méritent le nom si plein, si lumineux de vie? À moins que ce soit en secondes qu'il faille nommer ce qui peut vraiment se nommer: vivre. En secondes, en lueurs, en éclairs?

Il y a un piano droit Mason & Risch où Minne vient parfois se réconcilier avec un des grands rêves de sa jeunesse. Les premières notes qui vivent sous ses doigts répandent dans les pièces du rez-de-chaussée un bouquet de sons qui disent que toute joie de vivre est le présent que l'on offre au soleil de sa santé. Peu à peu les airs prennent forme, les arpèges s'engouffrent dans la cage de l'escalier menant à l'étage. Là-haut Trom entend ce soir la musique lui dire: vois-tu Schubert dans le mot voyageur? Entends-tu Mozart quand l'amour veut mûrir, quand la gravité se donne des ailes? Quel vent, quel souffle, quel air passeront sur tes dernières minutes? Seras-tu soulevé? Quel air de Bach réclameras-tu pour t'aider à gravir la dernière montagne?

Il y a une photo encadrée sur un mur de la mansarde, près de sa table de travail. Apparaît un beau visage de femme portant sur le monde la couleur noisette de ses yeux. Trom y arrête souvent son regard. Certains jours la bouche aimée lui dit: apprécie la part de soleil qui grandit ta maison. D'autres fois, elle murmure: chaque

fois que tu laisses le doute douter de toi, évalue le rape-
tissement de ta présence au monde. Mais toujours la
photo, très subtilement, pose la question : qui es-tu si tu
ne peux voir les chemins secrets de l'être que tu dis
aimer ?

Il y a, accroché au montant central séparant deux
étroites fenêtres, un couteau inuit, un *ulu*, d'une forme
parfaite. Qui le regarde longtemps voit apparaître un
visage. Le manche horizontal rappelle les yeux du chasseur protégé par l'*iggaak*, le protège-yeux en os de caribou ; la tige de métal qui relie le manche à la lame, c'est
le nez ; et la lame elle-même — noire, usée, huileuse —
adopte le dessin d'un franc sourire déployé. C'est le sourire de Minik, la femme inuite qui a donné l'objet à
Trom quand il visita un jour la maison de Jako, le doyen
des sculpteurs de Mittimatalik, à l'extrême nord de la
Terre de Baffin. La femme était à découper en cubes une
pièce de viande sur la table de la cuisine, face à la porte
d'entrée. Son gendre servait d'interprète. Trom lui dit à
quel point il trouvait beau l'outil qui est le couteau
réservé aux femmes chez les Inuits et qui sert à tailler,
gratter, couper. Quand elle eut terminé sa tâche, Minik
se leva, alla à l'évier laver soigneusement son *ulu* et dit à
Trom : « C'est un cadeau de Noël reçu il y a bien longtemps. » Et elle le lui tendit. « Mais c'est un objet précieux pour vous, vous l'utilisez tous les jours, gardez-
le. » — « À l'étranger qui vient, dit-elle dans sa langue,
il faut donner quelque chose qui nous est cher. »

Il y a, sur la tablette d'une fenêtre, une paire de jumelles Bushnell Custom 7 x 28. Des milliers d'oiseaux,

depuis vingt-cinq ans, sont passés à travers ces lentilles et ces prismes pour conduire vers le cerveau de Trom des images d'envol et d'énergie tranquille. Il peut arriver qu'un oiseau dise par sa seule présence : ce que tu observes avec humilité devient ton miroir le plus fidèle. Mais le plus souvent, dès qu'elle entre dans la tête de Trom, l'image se met à signifier qu'aucun oiseau ne traverse le paysage s'il n'a pas déserté le nid des premiers chants.

Il y a, dans l'armoire de la salle de bains, un flacon de Fiorinal 30mg C-1/2. Les supplices de la céphalée disent toujours, sur le mode lancinant : à quel âge situez-vous le milieu de votre vie ? La migraine, quant à elle, fait clairement sentir à Trom qu'au fond de toute douleur travaille une lampe de salut. De toute façon, tout corps souffrant sait que notre vrai fief se nomme Mont de Calme Tempête.

Il y a, fixé par deux aiguilles au-dessus d'une porte, un calumet sculpté dans un bois de grève par un homme que Trom a connu à l'époque où il enseignait au pénitencier. C'était un petit homme loquace, curieux, passionné de politique, habile de ses mains. Une sorte de légende le suivait dans la petite ville où il habitait, au bout de la dernière rue, une haute maison un peu délabrée, toute en pignons et en tourelles. À quarante ans, père de cinq enfants, il avait quitté son métier d'agent d'assurances, s'était laissé pousser la barbe et avait décidé de gagner sa vie comme taxidermiste et pianiste du samedi soir dans les bals populaires. Plus de voiture, plus de cravate, plus de montre. Des embarras pécuniaires l'avaient finalement contraint, à l'âge où la plupart envisagent la retraite, à accepter la responsabilité de l'atelier d'art et de taxidermie de l'établissement carcéral. Les prisonniers lui vouaient un respect qui jamais ne s'altéra. En donnant le calumet à Trom, cet homme parla d'une paix à venir avec les peuples qui sont à la racine de notre pays et qui pourtant continuent à souffrir l'opprobre de tous ceux qui pensent dollars avant justice.

Il y a, simplement scotchée sur la porte donnant accès à la mansarde, une petite photo en couleurs. On y voit un paysage immense, un glacier, des montagnes noires à la cime enneigée qui ferment l'horizon. Au premier plan, à même le sol ocré de la toundra, deux hommes, assis sur des bois de caribou renversés, regardent en riant la caméra. Cette photo représente Trom en compagnie de l'écrivain Lauréat Pick. Le ciel est voilé, les deux voyageurs sont vêtus de leur parka, mais Pick est tête nue : le vent rabat ses cheveux sur son large front. Trom aime bien cette image. Chaque fois qu'il la regarde, elle le transporte vers un moment de son séjour arctique, celui où les deux compagnons se reposent avant de reprendre leurs occupations. Trom se souvient que Pick, par jeu, avait alors improvisé une brève chanson dont le refrain disait :

Assis sur un bois de caribou
Écoutant mon sang qui bout
Je contemple du monde le bout
Loin des miasmes et des boues…

Au cours de la conversation qui suivit, Trom, un peu à la légère, soit pour qualifier son état de bien-être, soit pour décrire le moment qu'ils vivaient, avait laissé échapper le mot *paradis*. Pick n'avait pas tardé à répondre : « Se connaître soi-même et par là s'approcher des autres, n'est-ce pas le seul paradis ? »

Il y a une petite pendule murale dont la sonnerie, aux quarts d'heure, rappelle celle du Big Ben de Londres. Trom avait dix-huit ans quand un de ses professeurs, qui pourtant ne lui avait jamais manifesté de sentiment particulier, la lui légua par testament. C'est surtout la nuit, dans l'oasis des insomnies, que Trom prend le temps d'écouter ce qu'elle ne cesse de répéter : le pays des tempêtes attire ceux qui aiment dormir. Ces derniers temps, elle dirait plutôt : sache reconnaître la danse qui chaque matin te met au monde. Abandonne le rêve creux pour que le rêve plein se lève.

Il y a un paysage peint sur une planchette ovale par son amie Albertine, l'année de ses quatre-vingt-cinq ans. L'œuvre naïve représente son village qui s'étire en hémicycle entre le fleuve et le cap Maillard en Charlevoix. Qu'est-ce qu'il ne dit pas ce petit tableau ! Car Albertine porte en elle, depuis toujours on dirait, une noble sagesse qui toute sa vie s'est exprimée par ses calmes paroles, le don constant de sa personne et par son travail dans son petit atelier de sculpture sur bois, au sous-sol de sa maison. Elle serait sans doute étonnée, Albertine, d'apprendre que son bois peint dit à Trom en ce moment : tu apprendras, au bord de l'eau, à l'issue de ta nuit, la plus souple manière d'inventer un chemin vers la maison complète. Bonheur ne vient qu'au terme d'une traversée.

Il y a, posé sur une armoire, un petit bateau sculpté par son père dans l'atelier de menuiserie qu'il s'était aménagé, l'année de sa retraite, dans une cabane au fond de la cour. Là il passait toutes ses journées, seul, à polir des coques, à sculpter dans le pin tendre des mâts et des voiles, à ciseler des caps-de-mouton microscopiques, des poulies, des ancres et des treuils tout aussi minuscules. Quand il lui présenta, fier, au bout de quelques mois, sa première maquette, il dit à Trom : «C'est la goélette canadienne que pilotait ton grand-père maternel sur le Saint-Laurent et que j'ai vue, amarrée au quai du village, quand j'avais douze ans. Je l'ai toute faite de mémoire.» Tous les jours Trom regarde, ne fût-ce que quelques secondes, le petit bateau de bois verni qui le conduit là où son père semble encore lui dire qu'il faut parfois s'exiler pour trouver sa vraie musique.

Il y a, tout au fond d'un coffret aux trésors, parmi des cailloux, des tessons de poteries anciennes, des fossiles, le tronc d'un arbre qui a vécu sur cette terre au moins trois cents ans. Et pourtant il n'est pas plus gros, il est à peine plus long qu'un doigt humain. C'est un bout de bois sec, torsadé, souffreteux, de couleur bise, en forme de point d'interrogation un peu lâche. Un jour que Trom marchait sur la toundra arctique en compagnie de Scotteen, le biologiste, alors qu'il écoutait ce que son compagnon lui disait de la végétation de la terre sans arbres, il ramassa à ses pieds l'objet ligneux. Scotteen lui parla des saules nains, ces végétaux que la dureté du climat force à ramper sur le sol et qui, pour être chétifs, n'en sont pas moins des vrais arbres avec racines, bourgeons et feuilles. Cet arbre lilliputien, qui ne croît que quelques semaines chaque année, si on met sous la loupe une coupe transversale de son tronc, révélera plusieurs centaines de cercles de croissance, équivalant à autant d'années de vie. Trom, au terme de cette leçon de botanique, avait simplement mis l'objet dans sa poche. Ce qui amena Scotteen à dire, avec son humour habituel, que des chercheurs qui cherchent, on en trouve, mais que des chercheurs qui trouvent, on en cherche! Aujourd'hui, chez lui, quand il prend le saule dans sa main, Trom entend comme une voix venue de très loin lui souffler : dessine sans cesse le cercle de toute présence.

NEUF MOMENTS
DANS LA JOURNÉE
DE TROM

Imaginez le premier monde en pressant l'orange du matin.

La couleur du jour est cadeau de la nuit.

Pour travailler léger, lancez votre esprit au-dessus des nuages, respirez trois fois, arpentez l'ensemble de votre domaine.

Un peu de musique assouplit le bois franc.

Tout est rythme là où un corps plonge dans le réel.

À midi pensez au nombre de secondes qu'il vous reste à vivre.

Quatre heures peut devenir un moment enflammé pour autant que vous restiez debout, narines au vent.

Il n'y a pas d'obscurité plus ouverte que celle où vous affrontez la dernière peur.

Quand arrive l'heure du loup, les vivants accueillent le fruit qu'ils ont conquis.

UNE VIE SOUS LES TOITS

Chaque jour Trom passe de longues heures, seul, dans sa mansarde. Il y a là une fenêtre donnant sur un arbre, une bibliothèque, une longue table de bois où reposent, autour du sous-main, une pierre ronde, une carafe et un verre, un cendrier, un gobelet hérissé de plumes et de pinceaux, une lampe dont l'abat-jour ambré verse une lumière blonde. Pour les nuits d'insomnie, une petite bougie-lampe au chapeau vert.

Tout près de sa chaise berçante, sur un guéridon, s'empilent une dizaine de cahiers reliés qui sont, selon les termes mêmes de mon ami, des pistes d'envol, des coffres aux trésors, des sentiers de promenade et des laboratoires. Il y a le cahier vert, le cahier *Anniversaires,* le cahier *Nature,* le cahier de dessins, le cahiers d'aphorismes et d'autres dont je ne connais encore ni l'emploi ni le contenu.

Quand il est assis à sa table, Trom voit sur le mur devant lui une longue tablette où s'alignent des oiseaux sculptés : un moqueur chat, un geai bleu, une paruline masquée, une paruline à tête cendrée, un chardonneret et un couple de colibris. Quelques photos. Et de tout petits cadres entourant non pas des images, mais des mots. Le plus petit, fait de rameaux avec leur écorce, présente un court texte brodé de soie rouge sur fond beige : « La Prière de l'Indien. Faites que je ne critique jamais mon voisin avant d'avoir marché tout un jour avec ses mocassins. »

Trom m'a raconté l'histoire de cet objet insolite. Pendant qu'il voyageait sur la Basse-Côte-Nord du Saint-Laurent, pour voir des oiseaux, il avait trouvé à se loger pour quelques nuits chez un pêcheur de l'île Harrington Harbour. À la tête de son lit, dans la chambrette qu'il occupait sous le toit de l'humble maison jaune près du quai, était accroché le cadre. Au petit déjeuner, il en parla à son hôtesse, qui promit de lui en fabriquer un tout pareil.

Sur la même tablette, un autre cadre entoure les mots suivants, écrits à la main :

Aime ce que tu fais.
Fais comme tu penses.
Pense avant de t'animer.
Anime ce qui te vient.
Viens là où l'on voit.
Vois ce qui va s'ouvrir.
Ouvre ce que l'on te donne.

Donne à qui tu ouvres.
Ouvre-toi à qui tu aimes.

Et c'est signé : Pick.

QUEL HORIZON ?

Trom toujours mûrit au cœur de la ville son désir d'aller au champ pour y voir le vent glisser sur la folle avoine. Une fois repu de vert et d'espace, il revient vers la rue où bouge la vie des hommes.

En quel milieu fixer sa demeure ? Où aménager l'indispensable caverne ? Où poser ses outils ? Qu'offrir à sa meilleure fenêtre ? Horizon ou bouillonnement ? Faut-il opiner à l'ukase qui impose la seule expérience urbaine à qui cherche la vie intensément vécue ? Et que répondre aux doctrinaires qui assurent qu'il faut opter pour la campagne si on veut être au plus près des choses et plonger dans le mystère nature ?

Notre bonheur, dit Trom, c'est la bonne marche sur le trottoir d'une rue passante, la surprise de chaque maison, le clair alignement des fenêtres et des balcons, le regard aiguisé par une trouvaille d'architecture, l'arrêt au café, la halte chez le libraire, la visite au musée, la minute sous la voûte peinte, le ruissellement des odeurs au grand marché, le défilement des visages, le bruissement des paroles et des murmures.

Notre profond contentement, c'est le séjour au bord du lac, la promenade matinale sur la grève, le silence derrière les vents, l'apparition de l'oiseau porteur d'un chant natif, la station sous les arbres épais, la nuit opulente, l'ermitage au flanc de la montagne, le blanc pavillon environné de végétation et de neige.

Et que dire de l'espace naturel «travaillé avec un art superbe», de la lisière des labours ouvrant sur le théâtre, de l'épuisement des moteurs, de la maison bâtie en surplomb sur les eaux symphoniques?

Ne serait-il pas plus simple d'imaginer une longue galerie d'œuvres suspendue au-dessus de la crique, une rue marchande menant à des sables de lumière, des files de sculptures servant de piliers, toute une ville nordique sous un dôme de cristal, la Voie lactée enfin visible dans un ciel mis au net, des jardins au centre des bibliothèques et des bibliothèques au milieu des parcs, des centrales électriques avec tapis roulants actionnés par les joggeurs, des jungles fabuleuses au pourtour des écoles, des oasis de méditation poussant sur les gratte-ciel, des clochers-minarets diffusant à chaque heure dix minutes de silence, des ruelles transformées en passages pour chevaux, dans chaque quartier un Gouverneur des arbres et des oiseaux, des Pavillons de la Mémoire roulant sur autoroutes, des tours de cavernes et, au sommet du mont Vaillance, l'infini belvédère où retrouver la vue?

UNE HISTOIRE DE PIERRES

Sur la table de travail de Trom, tout à côté d'une carafe d'eau et d'une bouteille d'encre, il y a une pierre dont la forme rappelle un œuf d'oie coupé en deux dans le sens de la longueur. Dès ma première visite dans la mansarde de mon ami, je l'avais remarquée. Un soir, pendant que nous causions, Trom s'aperçut que j'y attachais une fois de plus mon regard. Il dit alors en me la présentant :

«Cette pierre vous intrigue? Comme vous pouvez le voir et le sentir, ce n'est pas une pierre qui a connu le ciseau ou la lime, elle ne porte en elle ni filon scintillant ni trace d'une origine extraterrestre. C'est une simple pierre, un peu lourde, délicieusement lisse, fraîche en hiver, tiède en été. Elle était plutôt grise quand je l'ai trouvée jadis au bord d'une rivière, mais je l'ai tenue si souvent dans ma main avant de me mettre au travail, je l'ai si souvent frottée avec mes doigts qu'elle a pris cette teinte ardoisée, mouchetée de points pâles. Il doit bien brûler un feu en elle, n'est-ce pas? comme au centre de tout minéral, un feu qui se révélera à son heure quand tout ce qui n'est pas pierre tombera en poudre.

« Je pourrais dire mille choses à son sujet : qu'elle représente à mon insu le caractère unifié de mon être ; qu'elle me rappelle la vieille sagesse intemporelle ; qu'elle symbolise, comme le suggère Maître Eckhart, le fondement de toute connaissance ; qu'elle me relie à toutes les croyances de l'humanité et à leurs rites secrets. Je pourrais même ajouter qu'elle est pour moi une image du temps, un rappel de la dure patience qui préside aux travaux de l'esprit. Il est certain, d'autre part, qu'à la regarder durant les heures d'attente, je vois soudain apparaître l'eau vive du torrent, le bouillonnement des remous, l'éclair de la truite à travers les roches, le plaisir du pêcheur qui, seul sous le grand ciel, environné de silence et de chants d'oiseaux, guette la visite de l'inconnu. Je pourrais dire mille choses, mais la présence de cette pierre ici, sur ma table, est beaucoup plus simple : j'ai besoin de la serrer dans ma main gauche pour obtenir calme et détente avant de commencer à travailler.

« À vous regarder la manipuler ainsi, il me vient tout à coup, comme souventes fois d'ailleurs, le souvenir d'une autre pierre, un million de fois plus grosse que celle-ci, une pierre qui est cachée dans une forêt, au pied du cap Maillard en Charlevoix. Elle repose là, solitaire, au milieu des grands arbres. C'est un bloc erratique à coup sûr, déboulé de la montagne à l'époque où le grand glacier rabotait les Laurentides, formait vallons, lacs et rivières, creusait le lit du Saint-Laurent. D'aucuns diraient que nous sommes en présence d'un bout de rocher surgi du sol, mais c'est bien d'une pierre qu'il s'agit, une pierre monumentale, remarquable, vivante. Elle n'est pas ronde. Elle épouse toutes les formes de la géométrie, elle porte des stries, des cassures, des fissures où des plantes sauvages ont pris racine, des cavités où s'accrochent des fougères et des arbres nains. Vivante, elle l'est par ses constellations de lichens multicolores, par ses mousses où se retrouvent toutes les nuances du vert. Dans ses replis est tapi tout un monde de petits animaux. En d'autres lieux du monde elle serait à elle seule l'ornement d'un jardin fabuleux.

« Cette pierre, avant que j'aille la voir, continua Trom, m'avait été révélée par une photo dont m'avait fait cadeau un homme. Venu des antipodes, il était cet été-là, pour quelques semaines, en convalescence chez ses deux sœurs, deux vieilles dames à qui je rends visite quand je réside au pays de la Petite-Rivière. L'homme m'avait simplement montré la photo en me disant :

— J'ai retrouvé la semaine dernière une des beautés de mon enfance.

— Elle est immense, cette pierre, lui dis-je.

— Oh vous savez, c'est une roche assez imposante pour permettre à trois personnes de se tenir assises, parfaitement à l'aise, sur son sommet.

— Et c'est ce qui est arrivé d'ailleurs, dit Albertine, sa sœur plus jeune.

— Il doit bien y avoir soixante-dix ans de cela, renchérit la plus âgée des deux femmes.

«Et l'homme me raconta leur aventure. Ils étaient partis tous les trois cueillir des mûres dans les bois qui séparaient leur maison du cap Maillard. Ils avançaient tant bien que mal à travers les taillis et les abattis quand devant eux surgit un ours, un ours noir de bonne taille. La roche était là, tout à côté, et avec célérité ils s'y hissèrent, puis se fondirent tous les trois en un seul corps tremblant.

— L'ours tout d'abord nous a regardés, plus surpris que menaçant, dit l'homme. Il ne bougeait que son gros museau brun. Puis il a commencé à grogner, à claquer des mâchoires, à griffer le sol. Nous étions pétrifiés de peur.

— Je me souviens, dit Albertine. J'avais à la main ma petite chaudière de fonte émaillée que je me mis à frapper contre la roche. L'ours est resté là à nous regarder, à nous renifler encore un bon moment — une éternité! Puis il s'est détourné, il a gagné le fond des bois.

— J'ai pensé très souvent à cette pierre ces dernières années, ajouta le vieil homme. Je voulais la revoir et la photographier avant de repartir pour mon lointain pays. Ce sera sans doute mon dernier voyage, à moins que Dieu en décide autrement.

« Et c'est à ce moment-là qu'il me raconta quelques événements de sa vie.

«Très jeune il quitta son village de Charlevoix pour aller étudier chez les Franciscains de Sherbrooke où très vite se forma chez lui une vocation de missionnaire. Au début de la vingtaine, sous le nom de frère Félix, il partit pour le Japon et rejoignit le collège Séraphique de Nagasaki. Ses tâches étaient multiples, mais c'est surtout comme tailleur et comme buandier qu'il servait sa petite communauté vouée à l'enseignement.

«Une dizaine d'années plus tard, le Japon entra en guerre. Le 9 décembre 1941, à quinze heures précisément, six policiers armés se présentèrent au couvent, confisquèrent tous les biens, scellèrent les chambres et entassèrent l'ensemble du personnel au troisième étage d'un autre établissement religieux situé quelques kilomètres plus loin dans la baie de Nagasaki, lieu qui fut peu à peu transformé en camp de concentration. D'autres missionnaires canadiens et américains, hommes et femmes, les rejoignirent bientôt. Commença pour eux une vie de réclusion totale au régime implacable. Plusieurs périrent, mais frère Félix dut son salut au fait que le chef du camp remarqua son habileté pour la couture et l'amena dans sa famille où il confectionna les vêtements de toute la maisonnée. Les enfants le prirent en affection et réclamaient souvent sa présence.

« En mai 1944, la guerre s'intensifia. On transporta cette fois les prisonniers à Kobe, dans une prison perchée sur la plus haute montagne. Six religieux canadiens partageaient une chambre mesurant six tatamis, ne recevant chaque jour qu'une tranche de pain et un peu de bouillie de poisson. "Il y avait les supplices de la faim et du froid, mais le pire venait des bombardements incessants des B-29 américains."

« Le 15 août 1945, à midi, frère Félix put entendre le message de l'Empereur annonçant le terme de 1 345 jours de guerre. Le 20 août, comme il était le seul à jouir d'un état de santé relatif, ses compagnons le dépêchèrent à Nagasaki vérifier l'état de leur collège. Un voyage de quatre jours qui marquèrent à jamais sa mémoire d'images de fin du monde. "Depuis cinquante ans, il n'y a pas une seule nuit où je n'aie été réveillé par un cauchemar."

«Nagasaki avait reçu la Bombe quatre jours auparavant. Ce qu'il vit en parcourant à pied l'extrême de l'horreur, je n'ai pu réussir à en recevoir l'exacte relation. Il m'a dit seulement, d'une voix tremblante : "Tout n'était qu'un entassement de métal tordu et de pierres noircies. Dans ce désert de noir, le bois était devenu pierre, même les corps humains étaient devenus noirs et pierreux, tout était rendu à la pierre, pierre dont la vue et l'odeur étaient insupportables."

« La rieuse photographie que me donna le vieux frère, je l'ai glissée, aussitôt reçue, sous mon sous-main. La voici. Je l'ai bien regardée récemment. Je me suis dit qu'elle portait en elle un feu, sorte de lumière solide sur laquelle se hisse parfois dans ses rêves un homme qui a traversé l'enfer, le seul sans doute qui existe, celui que les hommes créent de siècle en siècle sur la terre.»

UNE SIMPLE JOURNÉE
AU BORD DU FLEUVE

Pour son travail Trom note le passage des oiseaux qui vont nous conduire jusqu'au dépassement de nous-mêmes. On ne sait pas toujours quand il faut se taire pour recevoir toute la valeur d'un ciel comme celui-là, un ciel coulant vers le fleuve, un fleuve qui chante les couleurs de la marée et l'emprise des anciennes douleurs.

Le mot douleur ne vient jamais pour rien sur la page, a écrit Trom. C'est lui qui préside à toute aventure d'élucidation, c'est lui qui fait chanter l'être qui passe, celui qui n'a qu'un instant de vie pour dire une immensité de destin, une immensité d'amour. Le temps qui nous est donné est à la fois merveille et supplice. Supplice parce que la merveille nous dévoile les sept vies qu'il nous faudrait pour atteindre la clé et la formule.

Qui dira cet abîme entre le désir de faire et la douleur du monde? L'individu qui regarde vraiment le monde découvre que le point du jour est la fin d'une aventure et que le crépuscule annonce une incroyable vie, et peut-être même la réponse à la lancinante question. Le mot de la fin est une forme de la soif, laquelle est le premier chemin vers le centre de la nuit.

TA MAISON
VUE DE LA VOIE LACTÉE

Le temps que l'on donne à son amour, dit Trom, ne coule pas comme le temps des rivières. Ne se fige pas non plus au cadran des montres oubliées sous la neige. Le temps de l'amour est temps qui pousse dans la terre qu'on a choisie pour lui. Vu de très loin, il est une graine d'instant qui va mourir à peine apparue. Mais vu de la plante elle-même, ce temps prend toute la place dans l'espace, il se déplie jusqu'à l'apparition de la fleur qui est une autre forme de l'amour.

REVERS
DE LA JOURNÉE SUPERBE

Quand je mourrai, dit Trom, ce n'est pas moi qui vais mourir. Mon temps venu, je n'aurai qu'à me traîner jusqu'au seuil et à me taire. De grands oiseaux enflammeront le ciel, peut-être. Et quand tout sera enfin dans sa vérité de fin, quand tout ce bleu montrera son noir, que toute cette rumeur dévoilera son silence, je poserai ma main sur la pierre ronde, je n'aurai qu'à serrer un peu pour dire: j'ai vécu, je suis prêt. Alors les forces viendront, les forces m'envahiront, pour me mourir, me disperser en mille morts.

RÉPONSES
À LA QUESTION DE L'AMOUR

Au café avec Trom. Pendant que nous causons dans la salle du fond, un homme s'approche, qu'à l'évidence il connaît, un homme encore jeune, quelque peu ramolli par l'alcool. Sans attendre notre invitation, il prend place à notre table et de but en blanc éclate en sanglots. Trom pose sa main sur la sienne et attend qu'il parle. Sa peine vient, arrive-t-il à dire, de ce que son amoureuse exige « une période de réflexion ». Une fois calmé, il dit : « J'en aurais des questions à vous poser.

— Oui, je vois, dit Trom. Revenez demain à la même heure. Je vous proposerai quelques réponses. »

Plus étonné que sceptique, le jeune homme retourne prendre sa place au bar. Trom alors sort son calepin :

« Et si nous essayions, vous et moi, de répondre à cette grande question qui maintient tant d'hommes dans les brumes ? »

Voici ce que Trom nota :

Où êtes-vous quand vous parlez avec votre amour ?

Êtes-vous inventif ou ondoyant ?

L'aimeriez-vous autant si elle perdait la raison ?

Pensez-vous à elle en voyant soudain apparaître le profil de la montagne ?

Traverseriez-vous avec elle l'océan pour le simple plaisir de voguer ensemble parmi les houles et les paroles de nuit ?

La comptez-vous parmi vos meilleurs amis ?

Voyez-vous image dans le mot ami ?

Vous enivrez-vous en sa compagnie ?

Accepteriez-vous de vous déposséder de tout pour elle ?

Avez-vous déjà rêvé d'être né de son corps ?

Si elle glissait sur la pente amère, la prendriez-vous dans vos bras pour la réchauffer ?

Vos positions à l'égard du dieu coïncident-elles ?

Souffrez-vous de la savoir mortelle, de vous savoir simples passants ?

Le jour où vous avez vu le feu de son être fut-il jour de clarté ?

Avez-vous l'impression d'être en meilleure santé au terme d'une journée avec elle ?

Découvrir la beauté du monde sans votre amour vous fait-il souffrir ?

Croyez-vous vraiment au hasard de votre rencontre?

Avez-vous déjà considéré cette idée que pour le solitaire actif la fidélité est grâce, bien plus liberté que maison creuse, bien plus près du plein que du vide?

AU MILIEU DE LA FORÊT

Trom arrive là où tous les vents se sont couchés, où même aucune feuille des cimes ne frémit. Il a marché sur le sol humide, sur des mousses vertes, des brindilles, comme l'Indien à l'approche d'un gibier. Il s'arrête, choisit pour s'asseoir le bloc erratique constellé de lichens orange et vert-de-gris. Ne renifle ni ne tousse. Apaise peu à peu les battements de son cœur. Il attend. Sans bouger les doigts sur ses genoux. Immobile. Lui-même devenu pierre et lichen immémorial. C'est alors qu'il commence à percevoir. Dans une autre forêt, sur la rive opposée du fleuve, un oiseau siffle : un signal bref, pointu, une aiguille sonore traversant une poudre molle. La reptation de la couleuvre sous le vieux tronc, il l'entend. Le frétillement de sa langue rouge, il l'entend. Et chaque pas de la coccinelle sur la toile de son pantalon, le balancement des antennes de la fourmi au sortir de son trou, il les perçoit. Mais il n'a encore rien entendu, ce qui s'appelle entendre. Cela vient quand le nuage se découd et que des flaques de lumière s'étirent ici et là devant lui. Un rayon doré coule sur la manche de son chandail. Trom n'ira pas jusqu'à dire qu'il détecte le frottement du soleil sur la laine, mais c'est tout de même à ce moment-là que ses oreilles commencent à s'ouvrir, que se lève la voix et que montent en lui des mots qu'il n'attendait pas. Il s'agit de noter alors ce qui se dit :

Celui qui tombe verra venir avec lui les oiseaux.

L'accès à une autre âme passe par le respect de la tienne.

Il n'est d'amour vrai que dans le gain d'un soleil généreux.

On arrive toujours à dire oui au miroir le plus ingrat.

Retiens-toi de louer qui n'a jamais risqué sa vie soit pour son amour soit pour son art.

Salue la neige de février pour mieux chanter la fournée de juillet. C'est là passion des pôles et vision des compléments.

Ce qui pense en toi s'auréole de peur et de courage.

Mérite le nom de ton vrai visage.

Bonté n'est pas du même spectre lumineux que la pitié.

Miracle est mirage. Parfum n'est pas santé.

Le fond du rêve ne porte pas plus de réalité que ton désir d'une autre vie.

Petit peuple de peine dans l'ombre du titan se donne des chefs de grande gueule.

Quand tu es entré dans l'heure du loup, tu as pu voir le sens de la journée complète.

Toute création est feu de solitude, vol au-dessus de l'uniforme.

Le regard que tu poses sur l'être qui monte est un cristal.

À un moment donné une porte s'ouvre. Sur plus de vie ou sur la mort. À toi de choisir.

Joie est joue de jeune enfant tous les jours de la vie.

Aimer, écrire, apprendre, construire, habiter, décider, agir ont tous un dénominateur commun : dépasser le vieil homme.

Pour s'élever, il convient de prendre d'abord conscience qu'il existe un espace autour de toi.

Mouler une pensée dans une formule inoubliable, c'est habileté sans prix.

La peur d'avancer vers la source est ce qui te vieillit.

Quand tu te penches sur l'horreur ambiante, tu fondes une vérité.

La souffrance des enfants est notre limite la plus noire.

La grave malade qui enfin se résigne à lâcher prise est plus près d'elle-même que le furieux qui se cabre dans le bruit de sa machine.

Le besoin de beauté est de l'âme pour le corps.

L'écriture du matin prépare à la vie du soir.

Quand le prince t'invite en ses terres, tu n'es pas tenu au respect de ses chiens. Encore moins à une politesse qui te mord.

Toute force est une conquête sur le temps qu'il fait.

Pour croire à la fertilité de ton domaine, traverse ta propre soif de mûrissement.

Ce que tu puises dans le silence, c'est le regard qui t'ouvre un chemin parmi tes semblables.

UNE LONGUEUR DE PATIENCE

Trom ce matin-là nota ce que disait la voix.

Tu te réaliseras. C'est-à-dire que tu deviendras vraiment réel. Et non pas la copie de ce que l'on attend de toi. Et non pas un infantile consommateur de loisirs et encore moins l'écorce qui épouse le gré du courant. Tu t'épanouiras avec tes dons et tes désirs, tu connaîtras le bien et le mal qui te composent, tu feras lumière sur tes obscurités, tu laisseras monter la vase du puits que tu creuses pour que vienne enfin l'eau claire qui est au fond — et cela est long. Tu portes un enfer et une possibilité de paradis, l'éternité est dans le temps qui t'est compté et ne dure que ce que tu vaux. Ta valeur est une conquête de chaque jour sur la pesanteur, la lâcheté, la violence, la peur de plonger. Plonger ne t'est accessible que si tu sais être nu en face de toi-même, que si tu te révèles à la personne qui partage ta vie. Rendre réel un amour exige impudeur et courage, confiance et patience. Le soir de ta vie est le matin de ton être. Faute de te rendre réel, tu vis sans connaissance, tu vaux moins que la plante, moins que la pierre fermée sur sa noirceur de pierre.

PROMONTOIRE

Ce soir-là, au meilleur de l'été, vers huit heures, nous nous promenions sur la terrasse Dufferin, à Québec. Nous parlions de notre pays et du haut travail qu'exige la survie de notre culture et de notre langue sur ce continent. Nous nous arrêtâmes et, les coudes appuyés sur le garde-fou, nous laissâmes un moment notre regard filer sur les eaux du fleuve.

— Je ne me lasse pas, dit Trom, de venir ici. C'est une joie de permettre à mon regard de prendre son envol et de planer sur ce paysage ouvert sur toute la rose des vents.

— La vue des grands fleuves nous libère et nous ouvre...

— La vue de cette merveille me fait penser à un autre fleuve, le fleuve du langage. C'est un fleuve qui coule en nous et dans lequel nous coulons. Le langage, lui aussi, nous lie à des origines, nous donne force et profondeur, nous mène vers des immensités. Au bord de ce fleuve, en un territoire précis d'Amérique, nous avons édifié la maison de notre langue.

— C'est une prodigieuse maison en effet…

— Presque navire aussi, bâtiment solide et léger, adapté à toutes les eaux…

— Une habitation vieille de plus de mille ans, construite par des myriades de voix avec des univers d'expériences personnelles…

— Le plus admirable, poursuivit Trom, c'est que cette maison, toujours jeune, possède le privilège d'exister partout où on veut bien l'établir.

— La question est de savoir comment l'habiter vraiment.

— Justement. Nous l'habiterons dans la mesure où elle deviendra robuste et souple comme l'arbre, harmonieuse comme le flux de la vie en chaque être.

— En un mot, c'est une maison à bâtir et à reconstruire sans cesse.

— Oui. Comme individus et comme peuple, nous nous solidifions à la maîtriser, nous nous embellissons à la considérer comme notre première richesse. Et plus nous savons accueillir, plus d'espace nous nous donnons.

— Et pour construire, il faut des outils…

— Et c'est bien ce que je me dis souvent. Elle permet cela, curieusement, la langue : être à la fois l'outil et la construction. Dans cette demeure, si tel est notre vouloir et tel est notre rêve, il nous est loisible d'édifier une œuvre personnelle, œuvre de l'esprit embrassant toutes les ressources de la matière.

— Je reconnais là, Trom, une de vos idées les plus chères.

— Et ce soir, devant ce paysage unique au monde, où lumière et grandeur se conjuguent, je suis plus que jamais assuré que, dans cette vie, rien de valable et de sérieux, rien de signifiant ne peut être construit sans la connaissance toujours renouvelée de la langue maternelle. Qu'en pensez-vous?

— C'est ainsi.

PASSAGE

Trom dit que tu es venu pour atteindre le sens du réel, non pas pour être nourri comme un enfant l'attend de ses parents. Tu mérites le nom d'homme dans la mesure où tu pourvois à tes besoins sans spolier personne, sans rien attendre de quiconque.

Si on t'offre un don, accepte-le avec la simplicité du cheval qui jamais ne mord la main ouverte. Sache te nourrir à même ton effort et ta connaissance. Le réel est le même pour tous, mais chaque être possède sa réalité. Ta réalité se fonde sur un centre qui est en toi.

Il peut arriver en cette vie qu'un être te donne vraiment quelque chose. Cet être t'aime, mais reste maître de son geste.

Gagner sa vie, c'est savoir se nourrir sans rien appauvrir, sans déposséder. Œuvrer est signe d'une prise sur le réel.

Pense ta réalité, compare-la à la réalité des autres, en la respectant. Mais jamais ne subis un affront sans qu'il soit réparé.

Sagesse veut un milieu entre le vif et le mort, entre le noir et le blanc, entre l'esprit et la poitrine. Laisse parler en toi l'être réel que tu portes. Lumière parfois au cœur de la nuit, le ciel s'obscurcit après un matin flamboyant. Nous ne faisons que passer.

NUIT DE JOUR, JOUR DE NUIT
(cahier vert)

C'est un jour qui est simplement le jour venu pour être là, un jour qui vit de ce qu'il est, venu au monde pour être, pour passer comme un simple jour né du mouvement de la terre autour du soleil et du soleil sur la route des constellations. Et ce jour est là, il est d'abord tout pénétré de nuit, il s'ouvre, se colore, se gonfle de jour à midi, perd d'instant en instant son gonflement de jour, mais demeure ce jour plein de jour, un jour de quatre heures, de cinq heures, de six heures, se départ peu à peu de sa lumière de jour, devient une fin de jour, un jour qui a passé sur la terre, qui pour certains fut un jour funeste, pour d'autres un grand jour, le plus important d'une vie. Et alors c'est à l'entier du jour qu'on pense quand on évalue le jour : aube et crépuscule et midi et soir et nuit. La nuit qui commence et qui clôt le jour est elle-même ce jour. En se gonflant peu à peu de nuit il demeure ce jour qui a passé en notre monde, fut pour quelques vivants pierre blanche au calendrier de l'existence. Les jours s'oublient, demeurent inoubliables.

LES GENS DE NOS VIES

à Conrad Lapointe

Trom me parle du jour où il passa commande d'un meuble à un ami ébéniste. Un plan ? Un dessin ? Il laissa ce simple billet sur le coin de l'établi :

Cette armoire aura la forme d'une paix qui éveille. J'opte pour une simplicité de lignes, ce qui n'exclut pas la juste liberté de l'inventeur, lequel est invité à imprimer sa marque sur chaque angle, partie, ouverture. Soigner ce qui est caché, guérir les apparences. J'aimerais que le meuble sente le fini et l'infini, l'odeur de l'île d'Orléans au mois de septembre, le fleuve à marée haute, la carrure de l'homme, la courbure de la femme, l'ardente sagesse de la main, la solidité discrète de l'arbre, le muscle tranquille de l'enfant, le rêve de l'outil, le dépassement de l'âge et du bois. On pourrait dans ce meuble, il me semble, tout aussi bien y dormir qu'y enfouir ses secrets les moins humbles. C'est une armoire. J'aime ce mot. Il évoque en même temps l'arbre et la mémoire.

UN VOILE SUR LES MAISONS

Par ici aujourd'hui, dit Trom, un homme et une femme ne se sont pas bien compris, et par cela même quelque chose dans le monde s'est rétréci. Chaque nouvelle entente entre deux êtres éveille un peu plus de lumière dans toutes les maisons où des couples cherchent d'une manière ou d'une autre à se rejoindre. Peut-on imaginer l'incroyable empilement de douleurs créé par tous ces êtres qui cherchent, au fond de leur obscurité, à rompre le nœud de mésentente ? Arrivera-t-on à mesurer toute la joie qui se perd, dans chaque fraction du temps, du seul fait que tant d'humains hésitent à faire le pas qui briserait la dure distance ? Cela répand un voile gris sur les maisons. Le regard des enfants en est atteint, même si on ne le voit pas toujours.

LE LIVRE DES FENÊTRES

Ce jour-là, pour m'amuser, je posai à Trom une question à laquelle bien peu de personnes ont échappé : « Quel livre apporteriez-vous sur une île déserte ? »

Il répondit :

« Prendre un seul livre ? Je crois bien que je préférerais ne rien apporter du tout. Un seul livre pour des mois d'exil, mieux vaut l'inventer soi-même que de courir le risque de voir l'œuvre aimée se vider à la longue de son pouvoir d'enchantement. Je crains que l'extraordinaire, soumis à un usage trop constant, ne produise sur l'esprit un effet contraire à celui qu'il suscite quand il se mêle aux autres manifestations de la vie et aux autres créations de l'esprit. Un livre est beau à travers les autres et mêlé aux autres.

« Tout compte fait, j'apporterais un livre, oui. Je commanderais à un relieur un bon gros cahier de quelques centaines de feuilles blanches réunies sous couverture solide, d'un format commode. Dans mon île déserte, je prendrais plaisir à l'ouvrir, à contempler longuement la page blanche. Chacune permet l'apparition d'une fenêtre. On devine tout au fond comme une vie. Une sorte de givre empêche de voir la vie qui est là, derrière. Comme l'enfant qui écrit ses premiers mots sur la buée des vitres, je tracerais des signes sur le givre de la page blanche. Et tout à coup, derrière ces mots apparents, surgirait la vie qui se tient cachée aux premiers regards et qui ainsi n'a jamais été révélée. »

Un peu plus tard, Trom s'assit devant sa table, prit une feuille vierge et dessina en son centre une fenêtre. Après deux minutes de concentration, il y traça ces mots :

Je vois mon ami penché sur son papier. Ses yeux font souffrir le vieil homme, mais sous la loupe la plume trace des formes si légères et si justes que la page s'illumine d'intelligence. L'application fait venir au sage le dessin d'une vie plus ample que la vue.

TROM DESSINE UNE FENÊTRE

Je vois venir ma bien-aimée dans le vent.
Elle avance un peu penchée vers l'avant
Et sa main parfois protège ses yeux.
Le fil de mon amour tisse un manteau
De protection autour de ses épaules
Mais j'entends au loin feuler les bêtes noires
Qui ont tout le temps devant elles
Pour étouffer le grand feu que nous avons créé.

FENÊTRE

Elle sort de l'eau, elle ruisselle de lumière, elle s'étend à
l'ombre des hibiscus. Son regard plane sur la mer, puis il
va glisser sur la courbe des montagnes. Elle met la main
en visière, elle sourit, elle dit : aren't you glad you mar-
ried me ? Une enfant se risque dans la piscine sans flot-
teurs. Nous voguons sur la saveur immense du temps
que l'on se donne.

ENCORE UNE FENÊTRE

Il y a, dans l'avenue, un chêne luisant où s'aiguisent des merles. Une auto rouge dégoutte près d'une haie. En face, une maison fait du pain. On entend le crépitement des enfants sous les parapluies. Le désert est à mille milles, et la soif. Sous la terre demain, disait mon père, il continuera de pleuvoir.

LUMIÈRE ET SOLITUDE

— Bonsoir, Trom…

— Bonsoir, mon ami. Asseyez-vous donc à votre place habituelle. Un peu de porto ?

— Volontiers. (*Pause.*) Bonne journée ?

— Excellente. J'ai trouvé une formule en marchant cet après-midi dans les rues de la ville.

— Et vous vous en souvenez ?

— Je l'ai notée sur mon calepin : « Un peu de sagesse ne refroidit pas l'ardeur de vivre. Un peu de feu ne brûle pas la sagesse. »

— Une bonne récolte…

— En fait, cette phrase m'est venue pendant que je pensais à nos rencontres et à nos conversations vespérales. De fil en aiguille j'en suis venu à me rappeler mon vieil ami Chen Fou. Vous le connaissez ?

— Non, mais je sens que je ferai bientôt sa connaissance.

— Chen Fou a vécu en Chine il y a trois cents ans. Il était, selon ses propres termes, un *lettré pauvre*. Pauvreté sans doute relative, puisqu'il s'était fait construire à flanc de montagne un petit ermitage qu'il appela le Pavillon de Solitude et de Lumière. C'est là qu'il recevait ses amis pour boire et converser.

— Deux occupations tout à fait louables, surtout quand elles se conjuguent…

— Dans ce lieu de plaisirs rares, il avait interdit trois sujets de conversation : les promotions de la gent mandarinale, les potins et faits divers de l'activité administrative, les jeux de cartes et de dés. Tout contrevenant se voyait tenu de payer une amende de cinq livres de vin de riz.

— Comme il se doit…

— Chen Fou a écrit un petit chef d'œuvre chargé de leçons essentielles, *Récits d'une vie fugitive*. Il y raconte ses réunions avec ses amis et fait état des quatre traits de nature que la joyeuse bande prisait particulièrement : « la générosité et la hauteur d'âme, la fantaisie romantique jointe à la modération, un abord ouvert, exempt de contrainte et de petitesse, enfin la tranquillité d'esprit et le goût du recueillement. »

— Hum ! Vous fréquentez de bien bonnes gens, Trom.

— Oh vous-même, mon cher, n'êtes pas en reste d'excellentes fréquentations. Vous me citiez hier soir cette phrase latine que Montaigne avait fait peindre sur une poutre de sa *librairie*… et qui disait ?

— Traduction française : « Ne sois pas plus sage qu'il ne faut, de peur d'être stupide. »

— Eh bien, nous y voilà, n'est-ce pas?
— Nous y voilà.

LA VOIX CHEZ TROM
(cahier vert)

Le maître qu'à ton insu tu loges en toi occupe une place qui te revient. Il a toujours un œil pour l'envie, un œil pour la déveine. Te conseillera toujours, quoi qu'il dise, quoi qu'il pense, de prendre le chemin qui lui ressemble et non celui qui te porte vers toi-même. Sois bien assuré que la voix qui te parle est ta voix personnelle. Conduis-toi vers ce que tu estimes être vital. Tu es le seul à pouvoir décider quelle est ta minute de vérité. L'âge que tu as te fait le maître unique. Si tu choisis, par vouloir, de prendre la direction de la rivière, ne lorgne pas sans cesse vers le sentier de la montagne. Accueille, mais par choix. Tu seras honorable selon la mesure de l'espace que tu te consentiras. C'est la confiance qui te permet d'aimer. Respecte la part maîtresse que tu te donnes.

QUI PARLE DU FOND DE LA NUIT?

Trom a écrit dans son grand cahier vert ce que lui a murmuré la voix :

Te souviens-tu ? Je t'avais dit le mot soleil et je pensais le mot santé. Je voyais ta main sur sa cuisse satinée pendant que vous plongiez, Minne et toi, dans un loisir infiniment solaire.

L'amour que tu as découvert est chemin plus que ciel, maison sur la mer, arbre au milieu du désert, lente chevauchée vers un bois d'ombres et de lampes.

N'oublie jamais le charme des longs matins que tu t'offres grâce à des efforts et par une conquête sur le désir d'accaparer.

Des enfants t'ont fait accéder à une fraîcheur opalescente.

Étrangement le rythme qui est en toi te porte davantage vers le dessin que vers la musique. La poésie résoud la quadrature et ferme le cercle de l'idéal.

Je me souviens d'une brûlure de ta jeunesse et d'un froid qui te murait. Tu portes aujourd'hui une chaleur et un vent qui t'ouvrent la porte du nord sans pour autant t'éloigner des souffles du midi.

L'EXPLORATEUR

Aujourd'hui, m'a dit Trom, j'ai rencontré un homme qui n'est pas bien dans sa vie. Mais cette vie-là, qui n'est qu'à lui, il l'a d'une certaine manière voulue, il la veut encore même s'il la déteste, même si elle lui cause des soucis, même si elle le vrille d'amertume et de solitude.

C'est sa vie. C'est elle et pas une autre qu'il devrait creuser, explorer, frotter aux autres vies, c'est elle qu'il va fleurir, enjoliver, transfigurer. Ce qui demande, vous le savez bien, talent et courage. Cela veut dire qu'il va résister à toute humiliante comparaison avec le supposé paradis des autres.

Sa vie demande qu'il en fasse une vraie vie : action et réflexion, éveil et plaisir, abandon, retrouvailles, attention.

Et puis il y a les gens de sa vie. C'est eux qui le peuple-ront quand viendra le temps de partir. Soyez donc, lui ai-je conseillé, l'explorateur lucide et bienveillant des gens que la vie vous a donnés.

LA MAISON QUI MONTE

Trom me dit avoir fait, ce matin-là, la rencontre d'un poème. D'un poème qui cherche à être heureux. Il est dans une maison basse, au pied de la montagne, et regarde le fleuve. Une île au loin bouille de vapeur. La fin de l'hiver décolle des battures les glaces qui voguent. Le poème se chauffe, il va vers les hommes et les femmes qui peuvent aimer. Un mot choisi avec soin le fait frémir. Il aime voir les arbres chargés de lumière, il se remplit lui-même d'arbres et de pensées rayonnantes. Son bonheur toutefois ne tient pas à ce qui est vu. Il repose sur ce que la basse maison peut recevoir du dehors, sur l'ouverture, sur la manière dont on peut à chaque instant prendre son essor et gagner, par des chemins cachés, les hauteurs de la montagne.

LA LEÇON DE CE JOUR-LÀ

Pour cueillir Trom n'a pas toujours besoin d'aller au
champ. Il lui suffit parfois de se tenir debout devant la
fenêtre et de suivre du regard les gens sur le trottoir.
Cette femme, par exemple, qui vient de refermer son
parapluie et qui lève les yeux vers les feuillages luisants,
ne dit-elle pas à sa manière :

Appliquez-vous donc à vous définir comme rétifs aux
ordres qui émanent de partout où s'exerce un pouvoir.
Donnez-vous des règles de vie qui vous conviennent,
qui font de vous des êtres en accord avec leurs ombres et
leurs clartés. On ne devient pas du jour au lendemain
aussi transparent qu'on le voudrait, mais y tendre est
déjà un signe d'accomplissement.

L'ESPRIT DE LA RIVIÈRE

Trom considère que la vie est trop brève pour que l'on se permette, quand on a le choix, d'être malheureux. Il n'est pas si compliqué, le bonheur, m'a-t-il dit. Il s'apparente à la bonne humeur et la bonne humeur n'est rien d'autre que ce talent de laisser couler en soi l'esprit de la rivière. Le sage ne dit-il pas : « La rivière est toujours de bonne humeur » ?

Cet esprit, il y a accédé, dans sa vie, par étapes et il m'a avoué que cela n'a pas toujours été facile. En fait, il a découvert ce contentement paisible, cet accord parfois fragile mais plus souvent durable, quand il a décidé de faire ce que, lui, il désirait vraiment : lire, écrire, se promener, regarder, penser, mûrir ses idées, nourrir son amour et sa tendresse, affiner ses perceptions, faire chaque jour une bonne action, consulter les grands dictionnaires, cesser de courir après les plaisirs qui ne réjouissent pas vraiment, éviter les gens qui cherchent à exercer sur vous un pouvoir, une pression, une mainmise qui ne dit jamais son nom.

La bonne humeur repose sur le refus de l'enlisement et sur le contentement que l'on prend à couler, couler, couler avec le soleil.

La clé du bonheur dans l'amour : volonté et travail.

La clé du bonheur dans le travail : amour et volonté.

Il est là, l'esprit de la rivière : aimer son travail et travailler à son amour.

À UNE FORTUNE

Trom me raconte qu'un après-midi de fin mai il marchait sur les quais du Vieux Port. En regardant du côté
de l'île d'Orléans, il vit soudain le mot Fortune apparaître dans son esprit. Et le mot devint phrase : « La fortune de la vie, ce sont ces gens, ces amis, qui sont venus,
nous ont parlé, nous ont donné un peu de leur pensée. »
Et Trom se revit marchant dans les rues de la Basse Ville
en compagnie de son ami Fortunat, le photographe, qui
lui disait :

« Beaucoup ne connaissent du dehors que le temps
qu'il fait. Pour le reste, on est si pressé. Les yeux des
enfants, le jeu de la fumée, le feu de lumière sur l'échelle,
l'amour des pommes pour le pommier, la blanche
maison et la rue barbouillée de gamins qui lancent des

cailloux, qui sifflent des refrains et donnent des rendez-vous, je les dis, ces choses, à ma manière, à ma manière sans mots, avec mon œil second. Et que disent mes images ? Toutes ces choses, prenez-les donc dans vos mains, comme on boit l'eau d'un ruisseau. Regardez. Pour vous elles sont ici venues. Un peu plus loin, vous verrez des arbres couchés, une coque pourrie, des portes sans couleurs, un cheval dans la fenêtre, et des clôtures dans la mer. Ne soyez pas surpris. L'humour laisse toujours sa trace. L'enfant là-bas qui fume, qui tend la main, qui rit, qui pleure, qui attend, qui regarde, qui joue, c'est toi, c'est moi, c'est nous. »

Le photographe tourna vers Trom son œil goguenard de fureteur et avec un sourire sous sa fine moustache grise :

« Les choses que je ne sais pas dire, que je comprends moins, pourquoi ne les dirais-tu pas ? Elles sont à toi. »

NOURRITURES

Selon ses dires, c'est la faim qui ce matin a tiré Trom du sommeil. Une faim étrange, diffuse tout à la fois dans le corps et dans l'esprit, une faim de mots. Croyant la tromper avec un peu de fantaisie, il a commencé par humer la fourme et la mercuriale, il a reniflé la charnicole frottée de parmitte. Puis il a posé la langue sur le zeste du komélo, goûté au miracle des farmadelles, mâché longuement le houstaplat, la margirolle, la mystougalle, l'essence de marifliquette. Quelle saveur, dit-il en riant, que celle des houmilles et des fraîches fanfimouilles!

Au terme de ces ingestions, Trom a encore eu faim. Il s'est approché alors de la desserte où reposent des vocables replets, charnus, d'une appétissante rondeur: furibond, mâchicoulis, chèvre-pied, pétulance,

écoutille, dithyrambe, soupirail, euphorbe, préten-
taine…

Toujours sur sa faim, sans quitter son lit, il est allé, au
fond de sa mémoire, ouvrir le coffre en bois d'orignal où
il garde ces mots de la langue populaire, mots inventés
par des générations de parleurs, mots d'autant plus précieux qu'ils n'ont pas reçu les faveurs officielles :

Le pintocheux qui se brûle la rigouaîche avec de l'espé-
rette ; l'amanchure de la barouche ; la mornouche du
poêle où il y a une flambaison de bois de lune ;
l'égarouillement du fiforlagne pour se décarêmer ; la
ouananiche près des mascouabinas ; la soudrille qui est
une rage de neige ; la petite dormette du ouaouaron sous
le pimbina, et cent autres vocables si plaisants à la bouche.

Mais Trom était encore affamé. Finalement il s'est
levé, s'est lavé, a déjeuné et s'est assis à sa table de travail.
Sur du beau papier blanc il a commencé à écrire ce qui
lui venait, sans trop réfléchir, à l'esprit :

*Le temps de nos vies coule, coule, coule vers quoi ? Le temps de
nos vies est comme le sang dans nos veines, il nous permet de
vivre, il tourne en rond à l'intérieur de nous, il coule vers le grand
fleuve, et nous y sommes déjà puisque nous sommes le grand
fleuve. Il faut se laisser couler, le laisser couler, le temps de nos
vies.*

À mesure qu'il écrivait, Trom sentit que s'estompait
peu à peu sa faim de mots. Mais c'est la soif qui alors le
saisit, une soif étrange, occupant à la fois le corps et
l'esprit, une soif de… une soif de sens, la soif de dire en
peu de mots, et parmi les plus simples, le sens de notre
passage sur la terre.

DEVANT LE BRUIT

Trom entre dans un café.

« Bonjour. Un porto, s'il vous plaît.

— Bien sûr, monsieur.

— … et un grand verre de silence.

— (*Un silence.*) Hum! C'est impossible.

— Et pourquoi donc?

— Ça n'existe pas.

— Dites-moi: avez-vous déjà pris un bain de foule?

— Des fois, oui.

— Et croyez-vous à l'existence, par exemple, d'un bol d'air, d'un vase d'amertume?

— J'en ai déjà entendu parler.

— Et alors?

— Je vais voir ce que je peux faire.»

Le garçon revint avec un verre de porto et une flûte à champagne.

« Ça ira ?

— Oui, oui, ça ira, merci. »

Et avant de boire le vin, Trom savoure lentement la flûte de silence, l'élixir de ces temps.

À L'HEURE DU LOUP

Aujourd'hui Trom a écrit dans son cahier *Anniversaires,* au chiffre soixante :

Le feu de mes trente ans doit bien encore brûler quelque part.

Ce feu en moi me portait à dire la douleur et le ravissement, la révolte et l'ouverture, le désir et son ombre.

Ce feu me donnait des rayons qui m'aimantaient vers les autres.

Ce feu me peuplait de rêves et d'images énormes.

Ce feu me faisait aimer la nuit et me tirait du lit à la première lueur.

Me traversait d'oiseaux, cuisait mes poèmes, forgeait mes mots les meilleurs.

Ce feu allongeait les pas de ma promenade.

Et parfois me crucifiait, me torturait.

Ce feu était-il seulement le brasier de ma jeunesse?

Et maintenant?

Se repose-t-il en changeant, comme dit l'Obscur, en devenant ce bol de clarté où ma vie se transforme?

UN PONT
VERS LA RÉCONCILIATION

Les nuits d'insomnie parfois Trom allume sur sa table sa bougie au chapeau vert. À peine a-t-il ouvert son grand cahier que monte en lui, dans le silence de sa mansarde, la voix connue. Presque tout de suite arrive sous sa plume le mot conscience et puis tout naturellement le mot confiance, qui est le pivot de tout ce qui touche au sommeil. Il n'est rien de moins aisé que de noter cet acharnement de l'esprit à vouloir une réconciliation entre la lumière et le repos, entre la force et l'abandon. Comment attirer à soi assez de clarté pour élucider le chemin qui mène au vrai pays de soi-même ? De mot en mot, Trom arrive alors dans un lieu de son enfance hanté par une douleur qui n'est jamais arrivée à dire son vrai nom, pour la simple raison que rien n'est plus vif dans un être que ce désir d'affronter le petit homme aux prises avec sa première faiblesse. Tout enfant a droit à sa pleine nuit de sommeil. Tout enfant désire traverser le pont qui mène sur la rive où se trouvent ses deux parents auréolés de tendresse et de paix.

LE BON USAGE
DES JOURS DE PLUIE

À la campagne, dit Trom, les jours de pluie, nous entrons dans les livres pour nous sécher. Les histoires pleines de soleil nous conduisent dans des villes, nous y faisons la connaissance de personnes volubiles qui nous entraînent vers des propriétés gardées par des chiens féroces. Les jardins regorgent de fruits, des tables sont dressées sous des auvents de couleur. Colonel Pim, costume blanc, chevalière d'or à l'index, nous dévoile en paroles les secrets du lance-flammes. La grande Alice, sa femme, opine sans cesse, agite les ailes de son nez, sourit aux enfants, et se réfugie dans un chou à la crème énorme. Leur fils, Alfred, le voyageur, ouvre les volets de sa chambre à l'étage, il apparaît torse nu sur le balcon de fer forgé en criant: «C'est quand il fait chaud que les Noires sont belles.» Il trémule sa main dans ses cheveux comme pour les sécher, sourit longuement à Minne et nous donne rendez-vous à la piscine, invitation que nous déclinons, ayant eu ces derniers jours notre soûl de trempette.

TROM ET MINNE

Suivant en cela le conseil de Montaigne qui affirme que « les aigreurs et douceurs du mariage se tiennent secrètes par les sages », Trom me parle très peu de sa vie avec Minne. Mais la présence bienveillante de sa compagne, je la vois chaque jour dans le calme studieux et les soleils rieurs qui embrassent leur logis.

Trom a déjà fait état devant moi de la correspondance quasi journalière que depuis leur rencontre il entretient avec sa compagne. Comment peuvent-ils s'écrire si souvent alors qu'ils voyagent presque toujours ensemble et que les déplacements professionnels de Minne sont plutôt de courte durée ? L'autre jour, pour la première fois, j'ai aperçu sur le guéridon portant la pile de cahiers un gros livre relié avec à-plats jaunes et dos de cuir rouge. Ce genre de livres blancs aux pages lignées, on les trouvait jadis dans certaines papeteries parmi les livres de comptabilité.

— Tiens ! Voilà un autre de vos cahiers-laboratoires-pistes d'envol-sentiers de promenade ?

— Non, celui-ci est franchement un coffre aux trésors, répondit Trom. Il contient ce que j'ai peut-être de plus précieux. C'est ici, si je puis dire, que depuis plus de vingt ans nous nous écrivons, Minne et moi. Pour vivre avec plus de plénitude. Tout ce que nous consignons par écrit, au jour le jour, même ces faits d'apparence banale, nous permet d'éclairer l'obscur de la vie à deux, et nous fonde avec plus de force dans l'existence.

Pendant qu'il parlait, Trom s'était mis à feuilleter le grand livre. Au passage, j'entrevis, collés sur les pages dont certaines étaient écrites, des photos, des dessins, des cartes de vœux, des courts billets griffonnés à la hâte, de ceux qu'on laisse sur le coin d'une table ou d'un comptoir avant de s'absenter.

« Bonsoir et bonne nuit, mon ami. Te verrai demain, c'est certain. Smack! XXX »

« À la barre du jour suis parti à la pêche au bar. À l'heure grise reviendrai avec mes prises. Bonne journée. Moi. »

Et puis, un soir que je lui parlais de ma propre vie sentimentale, Trom, pour faire bonne mesure sans doute, s'ouvrit à la confidence et me donna à lire quelques pages de son grand livre amoureux.

CHÈRE MINNE

Il m'est venu un poème de nuit
Avec le blanc et le noir de l'insomnie.
Un poème qui fleure bon la terre
Couchée en rond contre les pierres.
Un poème tout environné de silence
Et penché vers l'abandon
Que la tête reçoit comme un don.
La nuit alors s'étend sur les poitrines.
On remonte les draps jusque sous les narines.
On se laisse couler sur la rivière lente
Où voguent les amants et les amantes.
Elle les porte vers des vagues de velours,
Elle les fond, les repose et les entoure
De la lumière nourrissante des rêves.

Elle les lave de lait, les presse, les soulève
Pour leur montrer la ligne de l'aurore.
C'est l'heure où l'insomniaque, apaisé, se rendort.

CE QUI EST VRAI

Qu'aurons-nous été, toi et moi, dans le champ infini de l'être du monde? Nous aurons été l'un et l'autre compagnon et compagne de périple, nous aurons passé sur la Terre pour inventer une naissance. Nous aurons été, avec quelques milliards d'êtres humains, au tournant du deuxième et troisième millénaire, cette femme et cet homme qui, dans un monde obscur, allaient savoir peu à peu qui ils étaient. Nous aurons été ceux-là qui ont reconnu et salué la présence des lueurs les plus basses, lueurs montant de la base même de l'ombre la plus noire. Et comme nous aurons marché! Devant chaque mur, chaque pesanteur, chaque facilité, nous aurons continué d'avancer, brûlés parfois par tant de noir, mais au fond de nous plus voyants que les voyants aux yeux habiles. Après des éternités de marche, nous aurons été ceux qui atteignent un seuil. Là, unis et libres, libres parce que unis, nous aurons été ces deux-là qui entrent dans le décor de la vie simple, celle qui en s'ouvrant commence à devenir immensité.

CHÈRE MINNE

Voici une courte lettre pour te rappeler le mot ruisseau parce que dans le mot ruisseau coule le mot musique. Il me transporte dans un lit où tu es la plus odorante personne de ce monde.

Je t'envoie aussi le mot fleuve. Il porte le mot lumière et la certitude que tu es le commencement de ma joie de vivre. Par le mot lueur qui se lève derrière la montagne, nous avons appris à conjurer le mauvais sort.

Ici, pendant ces journées de parfaite solitude, j'écris le mot vent. Voici que s'animent les feuilles, que ton souffle passe sur ma nuque.

S'allumera tout à l'heure le mot lampe qui répandra sur ma page une pluie de clarté. Clarté qui pour moi est bien plus qu'un mot. C'est ce qui, pendant cette nuit de lune noire, occupera mon corps et mon esprit. Puisque clarté est ce que nous avons mis entre nous. Clarté comprend tout : les ombres que nous portons et même le monde obscur qui est le nôtre.

Et maintenant je t'envoie le mot chouette parce qu'à l'instant même j'entends l'oiseau boubouler au fond de la batture ; elle me dit que des yeux veillent au cœur de toutes les nuits. Elle me rappelle surtout que tu es la plus chouette personne que je connaisse. À bientôt. Trom.

TROM VOYAGE

J'ai déjà dit que Trom n'est pas de ceux qui portent leur passe-port à la boutonnière, qui se déguisent en voyageurs internatio-naux dans le seul but de hausser leur col ou de remplir le vide du temps. Je sais aujourd'hui qu'il a pas mal circulé à l'étran-ger, qu'il a traversé des mers, connu des îles et des ailes, et qu'il a visité l'ensemble de notre pays. À ce propos, je n'hésite pas à dire qu'à un voyage mal préparé, fût-il au bout du monde, il préfère de beaucoup une simple excursion dans un lieu rappro-ché, où il pourra trouver matière à couvrir une page de son carnet.

En me donnant à lire certaines pages de ce carnet, il m'a dit : « Le voyage est une activité noble et sérieuse, que pour ma part je n'entreprends jamais par pur désœuvrement. Ceux qui se languis-sent chez eux s'ennuieront partout. J'aime voyager pour apprendre à mieux voir, à voir pour apprendre à regarder, à regarder pour écouter, à écouter pour entendre ce que laisse sur son passage la grande caravane humaine, toujours en mouvement, sans cesse en quête d'une vie meilleure. »

À propos des vacances, il m'a confié : « Balzac a dit un jour que son travail était son repos et que son repos était son travail. Pour moi, un voyage est un travail où je me repose. Mon repos est le plus souvent un voyage où je ne cesse de travailler. »

PAGES D'UN CARNET DE VOYAGE

Le sourire philatélique de ce pays n'est même pas un oiseau. Il est dans le visage d'un royaume dont les limites s'éloignent toujours plus du soleil. Aujourd'hui on y couronne l'ennui, on cherche à pourvoir l'espace d'une saveur moins seule, on cherche des paroles précises, qui libèrent.

★

Une Province comme toutes les autres? Vraiment? On commence à comprendre ici que la dignité a une voix, que tout, dans ce pays, conduit à la question du rapport entre le mépris à visage d'élégance et la nécessité de survivre sans masques.

★

Le plus beau pays du monde ne peut donner que ce qui t'habite déjà, et que par toi-même tu as conquis.

★

Quand seul vous pénétrez dans la chambre d'hôtel, vous vous sentez aride de ne voir couler dans le grand lit aucune eau familière. Un torrent intime vous mène tout droit vers l'antre muet où là-bas dort votre amour. Le ciel s'obscurcit. Un avion s'apprête à atterrir tout près. Vous êtes touché de chaleur par la petite fumée blanche qui fleurit sur le toit d'à-côté.

★

Si seul que je donne des pourboires insensés aux ouvreuses des lavabos. Si seul que j'ai envie de donner tout mon argent à ce vieil homme pour qu'il me raconte sa vie.

★

Dans cette brasserie à S., le garçon, très très pointu, me fait penser à la bague plaquée or servant de bouclier au jeune homme qui ne sait pas encore s'asseoir à l'aise devant un arbre où s'accouplent des merles.

★

Au restaurant. L'origine du mot s'empiffrer me semble s'élever à mi-chemin entre la peur corporelle de mourir et une longue indifférence à l'égard des enfants qui dès leur naissance, là-bas, sèchent.

★

Au café. C'est un artiste. Il peint. Ou plutôt il peignait. Il ne cesse, par exemple, de parler de ces fameux rapports qualité-prix. Ce sont des rapports qui tuent le talent.

*

Les gens qui racontent un souvenir d'enfance. Dans leur regard tout à coup, la naissance de l'horizon.

*

Paris est une pluie qui déambule et un soleil qui parle.

*

Ici, dans cette île célèbre, sur le socle de la statue d'Arthur Rimbaud, on a inscrit : « L'homme aux semelles devant. »

*

Écrit dans un café de Montmartre :
Le chemin, la main.
La main, l'outil.
L'outil, l'étoile.
L'étoile, le désir.
Le désir, le fleuve.
Le fleuve, la naissance.
La naissance, l'île.
L'île, l'ouverture.
L'ouverture, le chemin.

*

Cet homme parle de Valence. Chaque année, le 19 mars, fête de saint Joseph, on organise une fête des taureaux qu'on pousse en troupeau vers la mer. S'ensuit une course folle où les hommes fuient en courant devant les bêtes. Et l'homme se met à réfléchir sur ce qui oppose humains et taureaux. «Quand il est seul, le taureau est violent. Avec ses semblables il est calme et un peu déprimé. L'être humain, lui, est calme et un peu déprimé quand il est seul. C'est en troupeau qu'il devient violent.»

*

Le voyageur qui s'arrête, histoire de rafraîchir son regard, au musée Guimet, à Paris, marquera, j'en suis persuadé, un long temps d'arrêt devant une œuvre toute simple représentant les trois attributs de Hotei, le dieu de la bonne fortune et du bonheur chez les Japonais. Ces trois attributs sont: le sac, le bâton et l'éventail.

*

Dans une salle de l'hôtel, j'écris sur une table de bois sombre. Une cigarette brûle dans le cendrier, tout à côté des *Géants* de Le Clézio. Près de mon coude droit, une boisson rouge grésille dans un verre bosselé. Le silence reçoit les coups de la haute et massive horloge. Juste en face, dans le coin ouest de la pièce, la gueule d'une cheminée avale des braises blanches. Assise dos à moi et devant l'âtre, une femme feuillette un magazine pendant que sèche le vernis de ses ongles orange. Un peu plus loin, sur ma droite, un couple lit, la pensée de l'un dans la pensée de l'autre. Le patron est à la réception. Sa femme, dans une autre pièce, remue de la vaisselle en fredonnant. Je suis en Provence, à F., c'est un après-midi dont le ciel blanc fait du coton dans mon cœur. Là-haut, dans la chambre numéro cinq, M. dort. Et ce chat noir tout en fourrure, sur la chaise de rotin, qui tressaille à chacun de ses rêves…

★

Dans un musée. À l'étage, une petite salle zen. On a installé un carré de cailloux blancs concassés au milieu desquels se trouvent trois pierres rondes. Ce sont, nous dit-on, des pierres de longévité. En Extrême-Orient, la contemplation de ces pierres conduit le lettré à la perception du souffle originel. «Leur sobre perfection interroge sur une beauté plus âgée que la vie.»

★

Rencontré aujourd'hui un homme-vase. Son rêve : vivre au centre d'une nature morte. Se mire tout le temps dans le vide qui s'ouvre en lui. Il ne vit que pour être ravi, et ne désire rien tant que la fleur qui viendra le combler.

★

Un de ces hasards dont les voyages parfois nous font cadeau.

Je demande à l'employé de l'hôtel ce qu'il est advenu de Monsieur B., ce Poitevin rubicond et volubile, rencontré la veille au petit déjeuner. Un bon conteur au langage épanoui, passionné par tout ce qui concerne le Québec depuis qu'il a logé, en 1944, des soldats du 22ᵉ régiment.

— Monsieur B. ? Oh, il est parti le jour même. C'est un fermier, vous savez. Une fois par mois, depuis des années, toujours à la même date, il vient en ville visiter son fils à la Grande Clinique. En partant il m'a dit qu'il allait promener l'œil du maître.

— Promener l'œil du maître?

— À moi aussi l'expression m'a paru jolie. Il m'a expliqué qu'un bon fermier se devait chaque jour de faire le tour de son domaine, de vérifier l'état des cultures et des bâtiments, d'inspecter la fourrure des bêtes pour évaluer leur état de santé, et quoi encore.

Trois heures plus tard, à la librairie, en feuilletant un livre d'Italo Calvino, *Le corbeau vient le dernier,* je tombe, page 76, sur un récit intitulé « L'œil du maître », qui commence par ces mots: « L'œil du maître, lui dit son père, en désignant du doigt l'un de ses propres yeux, l'œil du maître engraisse le cheval. »

⋆

Invité par les nouveaux propriétaires, suis revenu aujourd'hui à la petite maison du bout de l'île où j'ai passé une vingtaine d'étés. Assis devant la fenêtre donnant sur la vaste batture, j'ouvre ce carnet.

Les oiseaux qui m'ont accompagné ici durant tant de saisons, où sont-ils maintenant? La plupart à coup sûr sont enfouis, mais d'autres presque pareils les ont remplacés et viennent encore nicher dans les environs. Le moqueur chat vient-il encore hanter physocarpes et amélanchiers? La paruline masquée vient-elle encore semer son chant pointu au fond des buissons de la grève? Je pense aux hirondelles, au durbec à poitrine rose, au tyran huppé, à la crécerelle, au pioui, à la bécassine, aux râles, ces étranges vocalistes nocturnes si profus en ricanements nasillés. Je pense à tous les canards venus se dandiner sur la vase brune au printemps, à leur vol véloce, à l'admirable harmonie de leurs teintes. Je pense aux chevaliers, aux bécasseaux, au busard, au grand héron, au bihoreau, aux oies sauvages parsemant de neige la batture d'avril et de mai. Tous ces oiseaux ont pris place en moi, ils font partie de mon esprit, ils ne cesseront jamais de chanter dans ma mémoire.

★

Dans le TGV Paris-Marseille. Deux hommes sont assis devant moi et parlent d'abondance. Le plus âgé, vêtements raffinés, chevelure abondante d'un blanc-bleu, langage soigné, glisse, entre deux phrases, à son compagnon qui, à bien y penser, pourrait être son fils : « Pour que l'existence se transforme en vie, il suffit de se dire chaque matin : jour unique. »

★

Quelque part en province. Une réunion de poètes. On se donne du bon poète, du grand poète, du très grand poète, du poète connu, célèbre, irremplaçable, etc. Certains, qu'on qualifie de « bons poètes », se rembrunissent et disent avec leur regard : « Tout de même, ces petits… » D'autres, chez qui on salue le « grand poète », lèvent légèrement les premières phalanges de leurs doigts sur la table et baissent humblement les yeux.

★

Entre deux avions, à l'aéroport d'Amsterdam. Mon voisin de table, au café, est un biologiste d'origine canadienne, qui se présente sous le nom de Doctor Mills. C'est un grand sec d'une cinquantaine d'années, plutôt affable, le côté gauche du visage creusé de profondes cicatrices. Il me parle de ses nombreux voyages et, sans que je le questionne, me raconte l'histoire suivante :

Il y a une vingtaine d'années, il menait, pour sa thèse de doctorat, des recherches sur le comportement des lions au cratère du Ngorongoro en Tanzanie. Avec sa famille il logeait dans une petite maison mise à sa disposition dans le voisinage du village masaï. Une nuit, un léopard vient saisir une chèvre à l'intérieur du grand enclos. Même larcin les deux nuits suivantes. Le chef s'amène alors chez Mills pour lui demander de l'aide. Au terme d'un conciliabule, on décide de capturer le fauve dans une cage appâtée d'une chèvre vivante. Mission accomplie. On place la cage dans la boîte d'un camion pour aller relâcher le voleur à grande distance. Un convoi se forme, Mills est dans sa Land Rover en compagnie de deux Masaï, étudiants en zoologie. Une fois sur les lieux, on s'apprête à libérer le félin, mais la porte de la cage, à peine entr'ouverte, reste coincée. L'ouverture est quand même assez grande pour laisser passer l'animal, qui reste là à rugir, sans se décider à fuir. Le biologiste approche alors son véhicule du camion, ouvre la glace de sa portière, saisit une barre de fer derrière la banquette et s'apprête à donner un coup sur la grille à glissière. Au moment précis où il va frapper, en un éclair le léopard se retrouve à mi-corps dans la cabine de la Land Rover, sa tête touchant presque celle de Mills. Les pattes énormes sont sur ses genoux. Tant que le biologiste reste immobile, sans même respirer, la bête ne bouge pas, elle ne fait que feuler.

« Y a-t-il au monde, dit-il, un homme qui a vu d'aussi près les crocs d'un léopard vivant ? En une seconde mille pensées ont défilé dans mon cerveau. Quelle solution, quel stratagème trouver ? Finalement j'ai saisi la poignée commandant le mouvement de la glace et j'ai serré, j'ai serré de toute ma force le corps de l'animal. C'est quand il a senti cette pression qu'il s'est mis à s'agiter. La gueule s'est ouverte, les griffes ont labouré dans tous les sens. J'ai serré de plus en plus fort. Jusqu'à ce qu'il se dégage et file dans la brousse. Je me suis retrouvé avec les vêtements en lambeaux, un muscle pendant à mon bras gauche, des plaies cuisantes au visage et au dos.

— Et les deux étudiants présents à vos côtés?

— Oh, vous savez, pendant toute la scène, ils n'ont bougé ni d'un poil ni d'un ongle. Le lendemain ils se sont portés pâles, si l'on peut dire. Disparus à jamais. Et comme m'a dit le chef du village: "Le père de l'erreur n'a pas à rougir de ses petits. Courage et peur sont les deux faces de la même lame." J'ai mis un certain temps, je l'avoue, à percer le sens de cette parole.»

*

Automne en Charlevoix. Aujourd'hui le ciel s'électrise des hautes volées d'oies blanches qui pointent leur émouvante géométrie vers Québec. J'entends, malgré leur altitude, appels et clameurs, et je me revois, il y a quelques semaines, à Bylot, au moment où les oisons, âgés de six semaines, viennent tout juste d'apprendre à voler. Là-bas, à la fin août, on voit une multitude de familles et de clans dispersés sur la toundra, au fond des vallées glaciaires recouvertes de végétation ocre. D'autres groupes parsèment de blancheur le flanc des collines nues et même traversent des immensités rocheuses pour atteindre, au bord d'un torrent de montagne, un mètre carré de miracle végétal. Peut-on bien connaître ces oiseaux si on ne les a vus sur leur territoire arctique? Il me semble avoir plongé un peu plus dans leur intimité. En tous cas j'ai frôlé le secret de leur cohésion familiale, le ciment qui soude les groupes, le mystère des connaissances que les adultes expérimentés dispensent à leur descendance. Je me sens tout drôle aujourd'hui en voyant les vols migratoires qui commençaient tout juste à se former, voici à peine quelques semaines, en Terre de Baffin.

*

Dans la Beauce. Arrêt à une station-service. Le pompiste est en verve et la conversation, comme il se doit, s'engage sur le temps qu'il fait. «Pour faire une vraie hiver, dit-il, ça prend du frette, pis du vent pis de la neige en masse. Comme c'est là, ils nous envoyent toute de cossé que ça prend pis on a une belle hiver. S'ils nous envoyent de la même manière toute de cossé que ça prend pour faire une belle été, on va avoir une maudite belle été c't'année!»

*

Avec Minne à Schefferville, ville minière du Nord, sur la frontière du Labrador. Vivaient ici, avant les années 50, les Montagnais de Matimekosh (*petite truite*) et un petit groupe de Naskapis qui, recevant du renfort, établiront en 1980 leur propre village, Kawawachikamach (*rivière sinueuse se transformant en grand lac*). Après la découverte du minerai de fer, on crée la mine puis on construit pour les mineurs une ville qui a compté en 1960 jusqu'à cinq mille habitants. En 1982, la compagnie minière cesse ses activités. Le gouvernement décrète alors la fermeture de la ville et remet les bâtiments aux autochtones. Aujourd'hui, le ministre de la Chasse et de la Pêche vient rencontrer le Conseil de bande et propose l'établissement d'une grande pourvoierie de chasse aux caribous. Il dit que la saison de chasse pourrait même être prolongée. On évalue en effet le troupeau à quatre cent mille têtes, ce qui, semble-t-il, est considérable. « Et dangereux, ajoute le ministre, puisqu'une population aussi forte peut entraîner des risques d'épidémie. »

Le chef indien, Augustin V., un homme drôle et intelligent, se tourne vers le politicien et, très calmement, lui dit : « Au Québec, vous êtes bien six millions de Blancs et vous n'êtes pas malades pour autant… »

⋆

À table, elle me confie : « L'intérêt de vivre en cette fin de siècle, c'est qu'on ne confond plus systématiquement caractériel et génial ! » Et plus tard : « Chaque page que vous faites est une victoire sur l'énergie qui s'en va. »

⋆

Névis toujours, encore, se cachait. Redonda offrait son midi de granit. La Frégate magnifique flottait sur l'arc-en-ciel. M… disait : « L'oiseau qui plane, rien de plus beau. » Et le poète pourtant brûlait sous les ifs siffleurs d'Alliougana. Tant d'Anis et leurs nids criards au royaume des Tyrans. Et la petite fille disait : « Remets-toi de mes émotions. » La flèche intense du Fou noir fulgurait dans la baie du Renard. (*Séance d'aquarelle aux Caraïbes, dans l'île de Montserrat.*)

⋆

C'est une ville comme bien d'autres, mais règne ici une atmosphère légère et cristalline dont on n'arrive pas tout de suite à saisir la provenance. Et puis, à mesure qu'on en parcourt les différents quartiers, avec un sentiment de surprise joyeuse, on se rend compte qu'aucune rue ne porte un nom banal. Aucun nom de héros, aucun rappel de politicien ou d'édile municipal. En fait, toutes les rues ont des noms qu'on pourrait qualifier de poétiques, au sens noble et frais du mot. Des exemples? La rue des Enfants qui montent; la rue de l'Heure du loup; la rue de L'Homme rapaillé; la rue Causette; l'avenue Bonne-Entente; la rue du Chagrin qui vole; la rue Qui vient qui va; la rue Charmante; la rue Où l'homme a trouvé la vie; l'avenue du Mont Confiance, etc.

★

Quelques jours à l'auberge de la Belle Rive, en Charlevoix. Un grand plaisir, après mon travail de la matinée: entrer dans la salle à manger, écouter discrètement de ma table des conversations tout à fait plaisantes. Aujourd'hui, deux dames causent:

— Où je suis née? Au rang de Pérou.

— Pérou? Parce que c'est loin?

— Non. Tout simplement parce que la terre y est riche. Paraît-il…

— Moi, c'est à Saint-Hilarion que je veux être enterrée.

— Pourquoi là plus qu'ailleurs?

— Les couchers de soleil sont si beaux…

— J'ai connu dans ce village un homme qui me disait être malade des «maux qui courent qui ont couru»!

— Mon père qui, lui, est né dans la Beauce disait: «Il faut faire attention à son épinette!» J'imagine qu'il voulait dire: prendre soin de sa santé.

— Les hommes aiment bien rester verts, comme les arbres. Il paraîtrait d'ailleurs que quand on dit « se porter comme un charme », on voudrait dire : se porter comme un arbre. Il est vrai qu'un arbre, c'est drôlement bien accroché à la vie…

— Justement. Étiez-vous ici la semaine dernière ? Il paraît qu'il a soufflé des vents envoleurs. Une tornade. Des arbres déracinés. Des toitures arrachées. Des maisons soulevées de leurs fondations.

— (*Après un silence.*) Les violons du bon dieu, quand ils décident de sonner, on les entend, je vous dis.

— Oui, on voit bien qu'il y a quelqu'un en haut !

Mais en bas, ici à l'auberge, je rencontre tous les jours un homme à tout faire nommé Pitou. Ce matin, il m'a dit, avec un clin d'œil de connivence : « Il faut que j'aille voir ma bibliothèque ! » Il parlait de sa grange.

*

Abbaye de Westminster. Dans le croisillon droit du transept, dans un beau désordre rassurant, se trouvent les tombes et les bustes de plusieurs poètes et romanciers anglais. Avec Donne et Milton, Shakespeare est là, bien sûr, tenant à la main un texte extrait de *La Tempête*. Si les bustes pour la plupart reposent sur des socles, les plaques tombales, elles, sont posées à même le carrelage où les visiteurs sont bien obligés pour circuler de les fouler du pied. C'est ainsi qu'il faut presque danser pour éviter de marcher sur Charles Dickens, Rudyard Kipling, Henry James.

Cet après-midi, une lumière soudaine traverse les vitraux du croisillon, éclairant deux plaques tombales sur le sol. Sur la première on lit :

WYSTAN
HUGH
AUDEN
(1907- 1973)

IN THE PRISON OF HIS DAYS
TEACH THE FREE MAN HOW TO PRAISE.

BURIED AT
KIRCHTETTER
LOW AUSTRIA

Tout à côté de cette plaque, une autre s'illumine soudain. Je ressens alors, à mesure que je lis, une étrange
impression. Celle de sentir une main sourdre du sol et
saisir le bas de mon pantalon. Que se passe-t-il donc?

ANTHONY TROLLOPE
1815-1882

NOW I STRETCH OUT MY HAND
AND FROM THE FURTHER SHORE I BID
ADIEU TO ALL WHO HAVE CARED TO
READ ANY AMONG THE MANY WORDS
I HAVE WRITTEN.

*

À Berlin, devant l'université Humboldt et l'Opéra,
s'ouvre une très grande place, magnifique. Là encore
l'Histoire vient vous saisir en quelque sorte par les pieds!
Sur cette Bebelplatz, strictement piétonnière, au milieu

de la chaussée, se trouve le Mémorial du 13 mai 1933. Ce monument est invisible à qui ne sait pas regarder où il marche : il se présente sous la forme d'un verre épais, transparent, intégré au sol. À travers cette fenêtre inattendue, on discerne, en bas, dans une pièce nue, un alignement d'étagères vides. C'est à cet endroit précis, qu'à la date ci-haut mentionnée, les nazis détruisirent en autodafé des milliers de livres d'auteurs disgraciés par le régime : des poètes et scientifiques juifs, communistes ou pacifistes. On dit que pour cette tâche les policiers furent secondés par les étudiants de l'université toute proche, qui sortaient par pleines brassées les volumes de la bibliothèque.

TROM DESSINE

Pour prendre place dans la journée humaine, il suffit d'avancer, d'étendre les bras et de s'élancer. Puis de faire un pas vers le seuil où luit déjà l'étoile pacifique. Ouvrir les ailes dans sa tête peut suffire.

Encore faut-il posséder l'art de la chute, savoir tomber au bon moment et surtout au bon endroit, en surveillant la position du soleil. Tomber là où la source va chanter, tomber au lieu dit pente douce. Encore faut-il chuter sans rien rompre ni de ses os ni de ses rêves, tomber en dessinant le geste de monter, tomber presque en s'envolant.

Nous avions appris à tout noircir de ce que nous avions reçu de nos maîtres. Il nous fallait inventer l'art de pousser nos couleurs, dussions-nous les extraire une par une de la source noire. C'est en tirant un début de couleur que tout venait au monde, que le vol de nos vies prenait forme.

Tout est catastrophe à qui ne sait pas se retourner au bon moment. Pour éviter les grands périls, il ne suffit pas de simplement pivoter sur ses fonds; il convient de prendre position en soi-même, en gardant bien en vue la flamme qui nous sert, à nous les humains, d'aigrette de camouflage. Connaître l'oiseau qui va éclore en soi est principe d'ouverture : la voie de l'œil qui veille.

Il nous vint ce soir-là un visiteur singulier qui nous dit ne pas avoir d'autre nom que celui de lampe, d'arbre, de fourrure. Il refusa d'entrer. Se tint plusieurs heures, sous la véranda, à regarder le fleuve. À quelques reprises il parla. Pour dire que la vie d'un homme coule vers une lumière qu'il ignore, que l'ignorance de cette lumière abrège ses jours, que la concentration est le pivot de la santé, que toute santé devrait être le souci majeur de chaque jour. Pour cela, dit-il en s'éloignant, rien ne vaut le plaisir que l'on prend chaque matin à saluer la vie qui nous est offerte.

Voilà la superbe assise au cœur d'une forêt d'automne.
Elle ne regarde rien d'autre que son désir de faire corps
avec son besoin d'envol. À cette fin, la superbe ne peut
qu'afficher son mépris pour tout ce qui n'est pas couleur personnelle, forme conquise sur l'informe, cohérence de la pensée, connaissance enfin de la façon dont
les ailes viennent à qui, dès le début du jour, cherche un
horizon où faire fond.

Il n'est pas toujours aisé de tracer son chemin sur une terre où règne un ciel aussi lourd. Mais à celui qui se donne une légèreté, la réalité est faite d'envols et de toutes les dimensions de la marche. Il suffit parfois de bien mesurer son visage pour trouver la voie royale. Là seulement s'opèrent la fusion du geste et de la vue, la transparence des outils, la prise en charge des mystères.

Dans la rencontre luit un désir de fusion. Dans la fusion
se lève un vol de liberté. Le charme de l'un épouse
l'ombre de l'autre. Le noir de chacun enfante une
lumière entre les deux.

Petit pêcheur de peine arrivera à vivre de son audace,
pour peu qu'il croie en une étoile. Elle lui fait voir au
fond de l'eau ce qui fulgure entre les pierres.

Voici la maison où tu me plais, le lieu où je te désire. Là est le feu du voyage, le chemin où cesse toute brûlure.

Ne me regarde que si tu te vois, ne me touche que si tu te sens.

Je te donnerai le lien qui ouvre les yeux, et me céderai là où à toi-même tu t'accordes.

TROM ÉCOUTE

CE QUE DIT À DES ENFANTS
LE VIEUX FORESTIER

J'ai bien regardé. Tout pesé avec ma tête, avec mon cœur. Je vais vous le dire, comment c'est. La vie, c'est chien. Mastiff et bichon à la fois. Berger. Et tous les flamboyants coureurs à la langue pendante. La vie, c'est chat. Parce que les chats aiment les fenêtres et la nuit, parce qu'ils viennent quand on ne les attend pas. Oiseau aussi, la vie, c'est chouette et merle, cela monte comme l'aigle, cela chante aussi fort que le moqueur sur la cime. Et c'est renard à la queue de feu, ours reniflant dans les vieux nids. Cuisant comme la guêpe, têtu comme le grillon de fin d'été. La vie ? Profond comme le rorqual et cela glisse comme la truite dans les fosses de la rivière. Je vous le dis, moi qui suis presque aussi ailé que vous, les enfants, la vie, ça galope. Elle est tellement cheval que le souffle me manque à seulement le dire.

CE QUE DIT UN VISITÉ

Depuis combien de temps je l'attendais, je ne saurais dire. Une éternité, il me semble, tant ma vie s'est toujours confondue avec l'attente de cette visite.

Puis ce matin-là elle est venue sans même s'annoncer.

Elle est entrée en compagnie de ses bêtes et de ses oiseaux. Ne portait nulle décoration, nul drapeau, aucun signe extérieur d'une fonction. Des vêtements simples, nobles, allègres. Son seul bien : une gerbe de branches nues accompagnant des tiges fines et des fleurs fraîches.

Son visage ? Oserai-je dire qu'il ressemble à mon visage quand je suis un peu arbre, un peu oiseau moqueur, un peu loup attendant dans la montagne, au déclin du jour, la chèvre qui est un peu moi.

Elle a fait se coucher ses animaux, se jucher ses volatiles et s'est assise là, devant ma table. Je voyais bien qu'elle avait horreur d'embrouiller les choses. Elle a croisé les mains devant elle, elle a promené son regard partout dans la pièce, en s'arrêtant à la fenêtre. Ses yeux ont monté sur le tronc de l'arbre, glissé sur chaque branche, épousé la forme de chaque feuille ; ses yeux ont filé vers l'horizon et lentement sont revenus caresser les objets les plus simples de ma table. Puis ses yeux sont entrés dans les miens comme des flèches de bonté, ils m'ont fouillé comme on scrute, pour le ranimer, un corps souffrant.

Quand elle s'est mise à parler, j'ai su tout de suite que j'étais en présence de la poésie. À cause de ce qu'il convient d'appeler sa voix. À cause de cette couleur sonore parfaitement neuve, qui passait par une bouche et qui portait un chant sans mélodie, l'étalement d'un pouls profond qui vous pénétrait comme le lointain tambour des nuages.

Ses mots n'étaient pas des mots qui ronflaient, ni des effets qui tintaient. C'étaient des mots justes qui mariaient les choses, des mots sensibles qui éclairaient les nœuds et nouaient les liens perdus. Des mots qui soulevaient des bouquets d'images, lesquels m'élargissaient. Qui me donnaient comme un bonheur. Ces mots-là, la poésie ne les cherchaient pas ; ils venaient de source, comme arrive la vie à chaque instant autour de soi. Enfin, le plus étonnant était qu'elle s'exprimait en prose, en prose naturelle, sans apprêt, sans hermétisme de convenance.

La poésie a posé sa main sur la mienne et elle m'a dit :

« Si tu portes vraiment ce désir-là, ouvre-toi et parle. Ne répète pas, parle en respectant le silence. Ne pose pas.

N'essaie pas de briller avec l'air poétique. Invente. Laisse couler ce nouveau qui est nourriture pour toi et pour les autres. Mais pour toi d'abord avant que de l'être pour les autres. Là où on te demandera de chanter, choisis plutôt de raconter. Là où on te réclamera des hymnes pour le chef et des saluts au drapeau, célèbre plutôt ce qui est en bas.

« Pour élever la parole, nul besoin de hausser le ton. Pour dire le mystère, il n'est pas nécessaire d'être énigmatique.

« Sois ce grand cœur qui souffle et qui racle et qui avance dans le tout de l'amour. Ne condescends jamais à des ornementations de langue. Viens pour contrevenir. Va pour voir. Ne descends que pour atteindre une hauteur inédite. Et pour mieux écrire, apprends le plaisir du nageur dans son élément, observe le geste de l'artisan qui se soucie moins de son outil que de son rêve et de la fin de son ouvrage.

« Si tu es poète, tout ce que tu réussiras à accomplir, au terme d'un travail inouï, c'est de faire advenir quelques présences, qui éveillent. »

Puis la poésie s'est levée. Elle a tout embrassé du regard, elle est venue prendre ma tête dans ses mains, puis sans rien ajouter elle est sortie.

Un peu plus tard, dans mes papiers, j'ai retrouvé ce bout de plante, cette trace d'oiseau, ces morceaux d'univers par où commencer à dire ce qui nous est clos.

CE QUE DIT MINNE

Autour de moi partout je vois des regards qui cherchent une manière moins couchée, comme une noble
façon de survivre en ce monde où règnent le fer et
l'apparence du fer, où le feu est spectacle, où même le
vieux désir de chaleur invente des masques froids.
Comment répondre à la grande question muette? Il faudrait, ce me semble, donner des mots justement sentis,
des morceaux de vécu transformés en visions, offrir des
paroles cruciales où flambe le vrai feu parsemant la nuit
d'étincelles. Saisir au passage ce que murmure à peine le
premier venu, et à partir de ce cri étouffé, répandu dans
toutes les rues, tracer un tableau qui exprime ce qui
vient de vivant sous ta plume. Ton métier est de vouloir
et de faire lever ce qui ne serait jamais apparu si tu ne

t'étais appliqué à fouiller le non-dit et l'obscur. Le secret au fond en est aussi simple que ce matin qui nous est donné à même la vie coulante. Fais confiance à l'outil que tu as choisi pour dire ce qui nous brise et ce qui nous soulève. Chaque jour alors portera son travail et ce travail te portera vers le commencement de toute clarté.

CE QUE DIT L'OISEAU

Je vole où bon me chante.
Je chante le clair et le grave.
Je grave un espace dans le temps.
J'attends souvent que le jour naisse.
Je nais et renais sans cesse.
Je cesse ma musique quand on crie.
J'écris avec mes plumes le mot nid.
Je nie tout ce qui n'est pas vie.
Je vis de ce que nature m'apporte.
Ma porte est dans l'air où je vole.

CE QUE DIT L'OISEAU PIC-PIC

Mon meilleur est de vouloir
Et de trouver lumière
Là où je creuse
Pour de la vie.

CE QUE DIT LA VOIX
SOUS LA TENTE

Si tu es un horizon pour toi-même, peut-être sentiras-tu les chemins que tu portes après avoir pris la mesure du temps qui te fait.

Si tu te sens un peu maison, tu seras le nid de ta propre naissance.

En devenant un peu fleuve, tu porteras des enfants vers l'ouverture.

Tu reconnais l'arbre qui est en toi, tu te réconcilies avec le nord de toute vie.

Coules-tu parfois comme la pluie de tes larmes?

Comment peux-tu avancer si tu n'arrives pas à te voir océan, et même le pouls de l'océan?

CE QUE DIT
LE SOURIRE DE L'AMI

À Jean Rousselot

Sous ton béret de castor
Ou sous ton bonnet de pollux
— à ta guise et selon la saison —
Tiens-toi droit. Et ne garde raison
Que pour fuir le luxe
D'un monde enclin à la dépendance.
Pour le reste sois celui qui danse
En son amour et sur la page
Qui chaque jour te donnent vie.
Au grand jamais ne cède à l'envie
De poser au petit maître ou même au sage,

Ne serait-ce que pour sacrifier aux désirs
De tous ceux qui ont soif autour de toi.
Garde le cap sur le grand choix
De ta jeunesse et qui est de dire
Par quels chemins tu seras venu jusqu'à ton âge.

CE QUE DIT L'HOMME
QUI A VU NEIGER

Celui qui brûle dans son corps annonce qu'il est en train de naître.

Poursuivre son ombre n'est pas d'un homme retrouvé.

Celui que tu es précède celui qu'on veut heureux.

La nuit donne plus que le jour, le jour reçoit plus que la nuit.

Si tu es seul, bois le lait. Si tu marches parmi les autres, nourris tes yeux.

Vol des oiseaux est louange du matin.

Bonheur de vivre, c'est don de lumière dans l'écroulement des secondes.

Faire amour n'est pas du domaine érotique. C'est pur joyau sous le feu de patience.

Ouvre-toi à ce qui se cache. Cache-toi si tu es déjà ouvert.

Un être unifié s'unit pour rester un en formant un deux.

Naître une seconde fois pour renaître encore à la fin.

CE QUE DIT L'INCESSANTE RUMEUR
DU MONDE

Pourquoi cette solitude, pourquoi cette prenante solitude, pourquoi si grande et si rugueuse et toujours, malgré ces montagnes de bruits, ces amoncellements de cris
et de foules parlantes, pourquoi tant et tant de solitude?

Ces réunions, ces amours, ces travaux de solitude, ces
maladies de solitude, ces douleurs de solitude, pourquoi? Ces lits, ces autos, ces camions, ces parkings, ces
routes, ces paysages de solitude?

Où est donc l'œuvre de non-solitude, le livre, la
musique de non-solitude, quelque part un être de non-
solitude?

Que vienne plutôt l'autre visage de solitude, une
dignité, une grandeur de solitude, celle qui porte le

meilleur du silence, celle qui est la vraie compagne de l'amour, celle qui est présence et se fond, la solitude du fleuve qui se confond avec l'esprit ouvert sur l'immensité de la mer.

CE QUE DIT LE DÉSIRANT

Le marcheur de bonne haleine parmi les tiges
Que poursuit-il sinon l'accomplissement
De l'orbe et de la plaine, sinon
La senteur du jour, les plumes de la nuit,
Et le passage de la paix dans son corps ?

Où donc habiter ? En quelle musique ?
Il est fort et touffu le chemin
Qui monte vers la maison lucide.
Tant de fronts cognent à la porte noire.
Tant de corps de peine et de labeur
Et tous ces muscles qui tournent pour rien.

On arrive avec un désir de montagnes rouges.
On veut loger sous les hauts fûts.
Où s'étendre un moment pour s'absorber ?
Le vent se ramasse et bondit
Sur les bardeaux du petit logis.
Puis l'on s'en va avec une brûlure dans les yeux,
Avec cette fureur de soif
Qui n'a rien à se mettre sur la langue.

Où iras-tu parmi les hampes et les chicots ?
Il n'est pas donné
Le chemin qui mène à la beauté sensible.
A-t-il même été tracé
Celui qui descendra vers le pont
Où la file des vivants désire la rive claire ?

CE QUE DIT L'ÉPOQUE

Fumez en couleur
Et ne désespérez pas de vos souffles

Exhalez sans limite
La fureur qui endort

Un art délicat :
Faire croître la crème des récoltes

Après le vieillissement
L'île verte ne sera plus l'île verte

CE QUE DIT LE DESTIN DE CES DEUX-LÀ

Au bal des jeunes amants
La musique est une eau franche
Qui coule sur les corps
Ruisselle en délices, en fureurs.

Vient toujours un moment
Plus grave que tous les autres
Celui où la grande nappe
S'étend sans pli ni tache.

Côte à côte ils s'asseoient à la table
De la vie. Passe une chaleur
Dans les yeux. Loin
C'est très loin la séparation.

CE QUE DIT LE MAÎTRE DE MYE

Et l'homme de votre vie?

Invente-t-il?

A-t-il une parole?

Préfère-t-il le gouret à la forge, l'arbalète à l'outil?

Voit-il le jardin où depuis toujours vous attendez?

Lit-il parfois le livre que vous portez sur votre sein?

Pourquoi rêve-t-il si goulûment à la mer sans deviner les fatigues qui vous traversent?

Est-il arrivé à la rivière de la voix qui ne tremble plus?

Sans prétention va-t-il plus loin que les mots appris?

A-t-il déjà trouvé votre vrai nom, celui qui vous résume et n'appartient qu'à vous?

Quand il ferme les yeux, le premier visage à lui apparaître est-il celui qui donne un sens à son passage sur la terre?

Aura-t-il le vent qu'il faut pour souffler le vieux qui le guette?

Est-il un homme de vie?

CE QUE DIT
UN CERTAIN LAURÉAT PICK

Il faut bien plus qu'un printemps pour faire une hirondelle. Il faut l'infinie lumière originelle, il faut un chaos et dans le chaos l'impensable éclair, l'apparition de l'espace et du temps, l'avènement de la matière.

Il faut des milliards et des milliards d'années.

Il faut des particules premières qui donnent des atomes et des forces pour assembler les atomes. Il faut des grains.

Il faut du froid au cœur de la lumière pour que les grains se réunissent en galaxies et que les galaxies, en se lovant sur elles-mêmes, enfantent des soleils et des cortèges de planètes.

Il faut un équilibre entre le froid et le chaud : il faut la Terre. Et sur cette Terre, avec un long passage de temps, un agencement d'atomes donnant naissance à de grandes étendues d'eau liquide.

Il faut la mer. Et dans la mer, l'éclosion des premières formes de la vie, les algues microscopiques, le premier végétal, et tout à côté, le remuement des premières cellules bougeantes.

Il faut de l'animal. Il faut la ramification de l'animal en plusieurs espèces différentes.

Il faut le ver et plus tard le poisson.Il faut la curiosité et l'appétit du poisson, sa sortie hors de l'eau, sa découverte des nourritures terrestres.

Il faut que le poisson se transforme. Il faut le reptile et l'élan par lequel le reptile se donnera des ailes.

Et là encore il faut des millions d'années.

Et voici donc sur la terre le peuple des oiseaux. Et dans le peuple des oiseaux, la lente formation d'une espèce qui affine son corps et ses ailes, qui taille en aronde le dessin de sa queue, une espèce habile à poursuivre prestement les insectes volants au-dessus des terres humides. Un oiseau avide de voyages et de chauds climats.

Et puis il faut des humains. Et avec les humains le langage qui donne un nom à chaque forme de la vie.

Et c'est ainsi qu'en chaque partie du monde où le printemps existe, revient hirundo, la golondrina, the swallow, die Schwalbe, a andorinha, la rondine, svaler, fecske, tulugarnak, l'hirondelle autrement dite.

CE QUE DIT
LE MARCHEUR NOSTALGIQUE

Trom a écrit dans son cahier *Nature* :

Au début des années 1970, au zoo de Québec, je me suis pris d'intérêt pour celui que j'appelais alors *le marcheur nostalgique.* C'était un loup, un vrai, *canis lupus,* un loup des bois adulte, mâle au pelage gris et fauve, qui pendant des heures arpentait les sentiers que ses pas avaient creusés sur le sol du large enclos où on le tenait captif. Plusieurs fois je suis allé le voir et jamais je ne l'ai trouvé au repos. Je n'arrivais pas à percer le mystère de ce regard triste et inflexible, de cette énergie, de cette détermination déambulatoire. J'ai toujours évité, dans mes rapports avec le monde animal, les errements de l'anthropomorphisme, mais il reste que ce loup, qui s'était sans doute habitué à mes visites, un jour m'a parlé.

Il m'a parlé de la destruction, bien sûr, m'a parlé de la mort, mais aussi du chant nocturne, d'une des plus émouvantes parmi les musiques des forêts.

Il m'a parlé du respect des lois du clan et de la nécessité d'être fidèle à ses amours.

Il m'a parlé de la faim, du courage, de la marche opiniâtre et de la chasse noble.

De la force, de la curiosité, de la bienveillance, de la dure nostalgie des exilés.

Il m'a même dit que l'animal qui depuis les origines a tant fait peur aux humains était en réalité un être plutôt craintif. Mais ce sont les fanfarons et les porteurs d'armes qui sont les vrais timorés. Quel besoin auraient-ils, s'ils ne l'étaient, de tout cet arsenal? Quel intérêt auraient-ils à se grossir en muscles et en voix? Le plus souvent les matamores ont un fond plutôt doux. Ce sont les serviles et les pleutres qui ont le cœur féroce.

L'homme est-il un loup pour l'homme? On le croit parce qu'on prête à l'animal légendaire toutes les cruautés. Regardons vivre une meute et le dicton prendra un autre sens. Quoi qu'il en soit, si l'homme est un loup pour l'homme, l'homme, lui, est bien un homme pour le loup.

Jamais je n'ai entendu le marcheur nostalgique émettre le moindre son. Qui aurait-il pu appeler? Et pour transmettre quoi? Il faut dire que je devais quitter le Jardin zoologique avant l'heure où les loups commencent de vocaliser ou, quand ils sont en meute, de chanter à l'unisson.

Des années plus tard, en relisant *La Chèvre de monsieur Seguin*, je me suis souvenu du grand loup de l'enclos.

Un épisode du conte me parlait particulièrement, celui où Daudet écrit : « Tout à coup le vent fraîchit. La montagne devint violette : c'était le soir. — Déjà ! dit la petite chèvre et elle s'arrêta fort étonnée. »

Un mot vibre dans cette phrase : le mot *déjà*.

Dans toute existence arrive le moment où un être se dit : déjà ! ? Cela arrive à l'âge où l'on se rend compte que le temps subitement fraîchit, que la montagne de sa propre vie se peuple d'ombres.

Déjà ? Oui, déjà.

Comme si une grande part de notre temps de vivant avait été dévorée. Par quels crocs de quelle gueule ? Par quelle gueule de quelle bête ?

Il y a donc une heure du loup.

Heure du loup dans chaque journée.

Heure du loup dans toute vie humaine.

Heure du loup dans un sens plus large ?

En tous cas, il me semble que le mot déjà occupe la conscience de tous ceux qui réfléchissent au destin de notre monde.

Le mot *dévoration*, lui, est bien dans le temps passé et dans le temps présent de l'aventure humaine. Dévoration du réel, dévoration des ressources, dévoration du paysage, dévoration des consciences, dévoration des petits peuples par les titans.

Le temps fraîchit et la montagne devient violette.

À l'heure du loup, une terre dans sa nuit chante (et hurle parfois) pour qu'un peu de sagesse pacifie ces montagnes de cruauté et nous donne à voir un début d'avenir.

CE QUE DISENT LES ARBRES

Étrangement faite, la vie. On cherche le secret d'une force flexible, on cherche un bonheur sans panache, sans extase, on cherche le sens et la direction du destin, la voie qui monte vers un calme qui bouge, et c'est là devant soi.

On cherche l'ombre et la fraîcheur, on cherche la lumière et le renouvellement de la lumière, on cherche une beauté mouvante et familière, on cherche des présences qui ont une voix et c'est là, tout près.

On cherche toutes les musiques du vent, l'infini des formes et des couleurs, les leçons de la puissance tranquille, l'avenir du feu, l'âme du navire, l'étai de l'abri, on cherche et c'est là, si proche qu'on ne pense pas toujours à voir ce qui ne demande qu'à faire signe.

Les arbres sont ainsi.

Ils ne sont pas là seulement pour donner leur bois. Pas là seulement pour prodiguer feuilles et fruits, gîte et couvert. Les arbres, d'une certaine manière, sont là pour parler.

Quand le soleil est cuisant, rafraîchis-toi sous ma frondaison, mais n'oublie pas de rafraîchir ton regard et ta vision.

Le regard, cette extraordinaire ouverture de l'être, cette prise de lumière sur la réalité, le regard, vraie richesse des vivants, comme il trompe souvent par la facilité avec laquelle il s'habitue, par sa disposition à nous dérober le vrai sens des choses. Le monde ne se révèle bien qu'à ceux qui savent revivifier leurs sens, qu'à ceux qui ont appris à renaître toujours neufs, en chaque moment de la vie éveillée.

Bien souvent on connaît toutes les marques d'automobiles, le nom des politiciens et des vedettes, celui des joueurs du stade avec leur numéro. Mais connaît-on le nom des arbres qui vivent autour de soi? Et pourtant, pour l'esprit, il est bon de connaître par leur vrai nom chaque arbre de sa rue, les plus beaux fûts de son quartier, les essences remarquables de sa ville. Parce qu'il est nécessaire d'enraciner sa connaissance, parce que cette manière d'être au monde te donne la juste mesure de ce que tu es.

Tant que la Terre sera ce qu'elle est, je serai celui qui travaille en bas et dans les hauteurs, celui qui transforme l'eau en sève, la sève en feuilles, la feuille en nourriture. Toujours je serai ce qui unit, ce qui monte et qui accueille. Je ne refuse pas le vent qui m'anime, je ne choisis pas l'oiseau qui me hante.

Je suis ta maison, ton lit, ta table, ta chaise, ton coffre, ton crayon, ton papier. Je suis la forme de ta fenêtre, la verticalité de ton rêve et la première mesure de toute perspective.

As-tu remarqué? Un arbre, une maison. Enlève la maison, l'arbre est toujours beau. Enlève l'arbre, la maison est nue.

CE QUE DIT
LA JEUNE PORTEUSE DE GRIFFES

Le grand lion qui a mangé ma sœur n'était pas un mauvais animal, mais je le hais, je le tuerais. Bien que ma
sœur, je ne l'aimais pas du tout. Enfin je pense. Un jour,
je lui ai crié : je te hais. Elle avait dit que j'aimais trop
papa, parce que je lui avais donné un dessin où nous
étions ensemble, lui et moi, seuls, au bord de la mer. Un
dessin que j'avais fait avec les couleurs qu'il m'avait données le jour de mon anniversaire. J'ai crié : je te hais.
Mais je me suis déchirée en dedans pour sortir ces mots
énormes de ma gorge. La déchirure est devenue de plus
en plus déchirure et je n'ai pas eu le temps de me recou-
dre, je n'ai pas eu le temps de me raccomoder. Papa a fait
un voyage là-bas dans la savane. Il a amené ma sœur

avec lui. Elle aimait les lions. Elle disait tout le temps : «Au fond ils sont doux.» Ils sont peut-être tendres au fond, oui, mais je les déteste et même. Je voudrais mourir au fond de leur gueule impitoyable.

CE QUE DIT LA PETITE

Salut papa. C'est moi. Ta fille. Tu crois que je dors sous mes couvertures, mais je suis morte. Je suis morte et je pense. Je pense que toi aussi tu ne dors pas. Il est impossible que tu dormes : tu lis tout le temps. Tu n'arrêtes pas de marcher devant la maison. Salut, papa marcheur ! Salut, papa mangeur de maman. Qu'est-ce que tu as fait de maman ? Elle est venue tout à l'heure dans ma chambre et elle m'a dit très bas : je suis dévorée. Elle a pleuré sans larmes, je l'ai bien vu. Elle a crié très fort en dedans et j'ai entendu. Et puis j'ai fait une cabane avec mes draps, comme tu fais le dimanche, je ne sais pourquoi. Et puis je suis morte. Papa, je suis une petite morte qui t'aime et te dis salut.

CE QUE SOUFFLE L'HIVER

Ce matin, en t'asseyant à ta table, tu as aperçu sur ton bloc à écrire une araignée, une toute petite araignée brune, aplatie, à peine plus grande qu'un bouton de chemise. Tu as reconnu en elle une proche parente de la fine étoile noire qui t'accueille parfois dans le vestibule, collée le plus souvent à l'angle du plafond et du mur.

Tu l'as observée un moment à la loupe, tu l'as fait monter sur la pointe de ton crayon, tu l'as déposée avec soin sur le plancher au bord de la plinthe. Pendant que tu travaillais tu l'imaginais en train d'accomplir sa tâche d'araignée, qui est de mener la chasse aux insectes microscopiques qui peuplent les maisons, été comme hiver. Tu ne pouvais détacher ton esprit de ce petit animal en train de vivre, dans ta pièce, un été perpétuel.

Et puis la neige dehors s'est mise à tomber. Tu as pris le temps de regarder descendre et floconner le ballet des cristaux. Tous les bruns éteints de novembre, as-tu pensé, les ocres fatigués, les verts décatis, vont bientôt faire place à une nouvelle palette plus subtile, infiniment plus complexe. Une étrange lumière monte déjà de la couche de ouate et, réfléchie par des galaxies de prismes neufs, éveille des teintes et des nuances rares.

Pour le moment, c'est ce qui se passe en bas, dans la rue, qui attire ton attention. Des gens vont, viennent, laissent des traces sur le trottoir. Tu penses au feu qui brûle à l'intérieur de ces corps, le vrai feu de la vie, celui qui transforme l'hiver en jardin et le froid en force qui rougit. Et puis, sans trop savoir pourquoi, tu te prends à considérer les vêtements, la variété des coloris et des matières, l'abondance des formes et des textures. Tu as pensé: n'est-il pas, l'hiver, une inépuisable source d'invention et d'ingéniosité? La neige, en masquant le général, révèle le particulier. Mille détails inédits s'éclairent tout à coup et l'œil, aiguisé par ce changement majeur, voit enfin ce qu'il a désappris de voir.

Quelle merveilles, n'est-ce pas?, que ces bérets et casquettes, ces chapeaux et ces cagoules, bonnets et passe-montagnes, ces chapskas, ces tuques et ces toques!

Quel poète célébrera le confort des parkas et des canadiennes, le moelleux des anoraks et des makinas, l'originalité des mcfarlanes et des pet-en-l'air, la douceur des écharpes et des crémones, le bien-être délicat des gants fourrés et des mitaines, la jouissance commode des longues bottes chauffées par la laine et la fourrure?

Et vois-tu alors s'éployer, en des pays lointains, les

arbres pourvoyeurs de caoutchouc, les champs de coton et de lin ?

Vois-tu défiler la horde infinie de tous les animaux qui nous fournissent non seulement la nourriture, mais aussi le vêtement et le confort ?

Vois-tu les agneaux, les moutons, les chèvres, les chameaux, les lamas qui nous donnent la fibre sans laquelle l'hiver serait l'ennemi ? Vois-tu les vaches, les veaux, les chevaux, les caribous, les daims, les chamois, les porcs qui nous dispensent le cuir ? Et le loup, le phoque, le renard, le carcajou, le pékan, le lynx, le raton, la martre, le vison, la loutre, le castor, toutes bêtes piégées pour leur peau de haute richesse, les vois-tu ?

Vois-tu processionner les oies et les canards pourvoyeurs de duvet ?

Vois-tu que toute une partie de l'humanité est vêtue, bottée, casquée, gantée à même la mort des animaux ?

Pour cela as-tu déjà pensé à saluer ainsi les bêtes grandes et petites :

Sur votre peau nous allons

Comme on va sur la terre.

Sous votre peau nous passons l'hiver.

CE QUE DIT
LE CHERCHEUR DE TRACES

Le travail du vent sur les savanes nous amenait des visiteurs inouïs. Grands corps aux senteurs de mousses, ils avaient la bête dans la peau, ne se confiaient qu'au feu trouvé sous le bois vieux. Leurs nuits coulaient comme les fleuves au cœur jaune. Aucune musique n'affinait leur visage. Sur leur torse tremblait une pierre plus dure que les lances. Ils se disaient frères oubliés au fond des vaux, avaient l'air de nous reconnaître, mais n'essayaient même pas de voir le monde qui allait nous accueillir, pour notre souffrance, pour notre accomplissement.

CE QUE DIT UN PÈRE ASSINIBOINE

Un jour de grande lumière, oui ça donc, un jour plus clair que midi flamboyant. Avec mon plus jeune fils, j'étais là au bord du lac Grand. Un bateau de bois, une chaloupe, des hommes et parmi les hommes, Grand Chapeau tout enveloppé d'habits de couleur. Des armes aussi qui faisaient briller les habits. Il s'est avancé, il a salué, j'ai salué. Sous ma tente il est venu. S'est assis près de mon feu. Longtemps nous avons fumé. Puis Grand Chapeau a touché sa poitrine, il a sorti un papier, oui ça donc. Pas une écorce, pas une peau tannée, pas un tissu. Un papier. Grand Chapeau a posé ses yeux sur le papier. Qu'est-ce qu'il a vu là donc ? Il a posé ses yeux sur le papier et le papier s'est mis à parler. Le papier a parlé de roi, de gouverneur, du maître des terres, de victoire, de traité, d'or et d'argent. J'ai tout compris, ça oui donc. Tellement compris que. Après le départ de Grand Chapeau, j'ai dit à mon fils : «Comme ton père tu as vu. Veux-tu être un maître sur la grande terre? Veux-tu à toute heure du jour entrer sous la tente de tous les Grands Chapeaux? Veux-tu donner la vraie réponse d'honneur? Le temps est venu d'apprendre tous les secrets, mais avant toute chose, oui ça donc, apprends à posséder le secret du papier qui parle.»

TROM S'ENVOLE

TROM S'ÉVEILLE

Toute cette aventure a commencé un matin où, à la lisière du sommeil et de l'éveil, Trom entendit très distinctement au fond de son oreille : «Le chemin que tu fais est la voie qui te manque.» Au même moment il se retrouva dans le jardin de son amie Albertine, au pied du cap Maillard, en Charlevoix. Une ouverture dans la haie de cèdres, du côté nord, donnait naissance à un sentier qui à travers des aulnes et de jeunes bouleaux menait à un ponceau de planches enjambant un ruisseau chanteur. Trom s'arrêta pour suivre le jeu des reflets sur les roches, pour écouter les voix du vent dans les feuillages. De l'autre côté du pont, le layon s'élargissait en un chemin forestier conduisant à une clairière où il circula entre des monticules rocheux, assez semblables aux cairns qu'on voit parfois sur les images du Grand Nord. Un étroit sentier, foulé sans doute par des bêtes en maraude, traversait des fourrés épineux, plongeait dans un bois touffu. Trom éprouva soudain le saisissement de se croire égaré, mais le chant d'un merle au loin l'amena à se dire que par là devrait s'ouvrir un terrain plus avenant. Il peina à travers les sapinages, devina là-devant une clarté, manqua tomber au fond d'un fossé à quenouilles, puis se retrouva sur une route pavée. Un panonceau indiqua, vers la gauche, la direction d'une ville. Après une heure de marche, il aperçut très loin au bout de la plaine cultivée les bâtiments d'un aéroport. Sur la piste la plus proche de la route, un avion attendait, portière ouverte sur la passerelle d'accès. Une drôle d'impulsion poussa Trom à franchir la haute clôture métallique et à s'approcher de l'appareil. À l'hôtesse qui apparut dans l'embrasure, il s'enquit de la destination du prochain vol. Quand il entendit les mots : Terre de Baffin, il éprouva le saisissement de se croire retrouvé, éclata en larmes et se réveilla tout à fait.

LE JOUR OÙ TROM S'ENVOLA

Un après-midi de fin mai, Trom se tient debout au bord du fleuve, jumelles au cou. La grande batture s'illumine de milliers d'oies sauvages qui dans un jour ou deux vont partir pour les îles boréales. Des carouges sifflent dans les hautes herbes et portent une tache comme de sang à l'épaule de leurs ailes noires.

Les grandes oies s'appellent et jacassent et plongent leur tête dans la vase pour cisailler leur nourriture. Une étrange paix, malgré la rumeur, va s'étendre. Vraiment?

Cet après-midi-là passe sur la terre au moment même où des peuples supplicient d'autres peuples en des pays qu'on dit lointains, mais qui sont tout à côté puisque tous les hommes respirent le même air et se nourrissent des mêmes rêves où viennent parfois des enfants racontant ce qu'ils ont vu au coin de la rue, avec dans leurs yeux des étincelles d'enchantement ou des ombres d'horreur.

C'est un après-midi de batture qui dit une saveur de fleuve. Les grandes oies se sont mises en mouvement dans une explosion de cris et d'ailes blanches. Et voici que naît un autre fleuve au-dessus du fleuve, un fleuve d'oiseaux coulant dans la lumière de mai, un fleuve qui prend la direction de l'aiguille de la boussole.

Il arrive ceci dans la vie de Trom qu'il se laisse prendre par cette force qui agit au-dessus des eaux, que par l'esprit il se fond dans la multitude blanche. Bientôt elle va monter et former sous les nuages ses grandes flèches sonores, armées d'une résolution qui déjà pointe vers le Labrador, l'Ungava, la Terre de Baffin et, au bout du voyage, l'île incroyable que les oiseaux ont choisie, au début du monde, pour naître, faire naître et se recommencer.

LE SALUT DE L'AMI LOINTAIN

Mitimatalik en Nunavut,
10 juin.

Cher ami,

J'aurais aimé que vos yeux voient ce que les miens ont vu, de l'avion, depuis mon départ de Québec : la forêt boréale parée de ses lacs innombrables, les plaines tremblantes aux arbres nains de l'Extrême Nord du Québec, les icebergs étincelants du détroit d'Ungava, les fabuleux paysages de la Terre de Baffin, ceux en tout cas que laissent apparaître les trous dans les nuages.

Je suis arrivé à Mitimatalik en plein soleil de minuit. Je n'avais pas imaginé l'Arctique aussi prenant de rude beauté. Ce qui frappe dès que l'on prend pied sur la piste qui surplombe le village inuit, c'est cet air ample, cristallin, net comme l'œil du silence, la vastitude des horizons, l'absence d'arbres déroutant les perspectives, l'intense lumière où fulgure chaque pore de neige fondante, rendant indispensables à toute heure nos lunettes noires. Tout de suite j'ai été fasciné par ce qu'on aperçoit au-delà de la banquise qui, encore en juin, ferme les eaux du détroit d'Éclipse : l'île Bylot avec ses rocs gris et rose ciselés en pyramides, à travers lesquels viennent s'éployer les grands glaciers du début du monde.

Dans l'avion où tout le monde se parle, j'ai fait la connaissance d'une petite équipe de cinéma animée par un jeune cinéaste, grand type cordial, calme et sûr de lui, que ses compagnons appellent Duve et qui vient ici tourner un documentaire sur la reproduction des Oies des neiges. Le film mettra en scène, si je puis dire, outre les oiseaux, un poète du nom de Lauréat Pick et un ornithologiste, Scotteen, familier du Grand Nord, connaisseur de tout ce qui y vole et marche. Je servirai d'homme à tout faire et à l'occasion prêterai assistance au caméraman, ce qui me permettra de circuler sur tout le territoire et même de loger au campement.

Je partagerai la petite tente ronde de Pick qui est, malgré sa notoriété, un homme simple et franc, nullement poseur. Il est comme le sage de Lao Tseu : un carré qui ne tranche pas, un pointu qui ne blesse pas. Duve, qui a été, semble-t-il, son étudiant à Montréal, dit de lui qu'il est de ces rares auteurs pratiquant une poésie sans tambour ni tromperie. Son regard est attentif, très souriant, sa poignée de main, sèche et fervente. Sa connaissance de la nature vient d'une longue fréquentation méditative. J'ai noté ces mots qu'il a laissés échapper tout à

l'heure : « La nature souvent, l'humanité toujours. »
Quel âge peut-il avoir ? Sa barbe est toute blanche, mais
tout en lui est de jeune santé.

Notre guide, Karak, est un chasseur inuit de grande
expérience, un homme trapu, souriant, silencieux, avec
qui j'ai tout de suite sympathisé. Il a cru un moment
que j'étais l'aérostier de la montgolfière blanche trans-
portée hier par un autre avion. Ce pilote arrivera un
peu plus tard. Mais cette méprise m'a réjoui le cœur ;
vous connaissez ma vieille fascination pour le premier
des objets volants.

Nous partirons demain — mais quel est le sens du mot
demain quand le soleil polaire ne crée aucune nuit ? —
nous partirons sur la banquise dans de longs cométiques
rouges traînés par des motoneiges. Dans trois jours nous
atteindrons la lisière qui sépare la banquise des eaux libres
de la mer de Baffin et que Scotteen appelle le *Floe Edge* parce
que s'y forme, sur une distance de plus de mille mètres,
une fange de glaciels fractionnés sous l'effet du soleil de
juin, là où la plupart des animaux se rassemblent pour se
nourrir au terme de la disette hivernale. On me dit que j'y
verrai des narvals, des bélugas, des phoques, des ours polai-
res et une multitude d'oiseaux de plusieurs races.

Après cette expédition sur la banquise, Duve établira
pour l'été un campement dans une vallée glaciaire de
l'île Bylot, là où une grande multitude d'oies vont
nicher à même le pergélisol de la toundra.

Je ne pourrai sans doute pas vous écrire avant longtemps, mais j'ai mon cahier vert que je vous donnerai à
lire cet automne.

Que l'été vous soit favorable. Avec mon amitié.

TROM

SOUS LA TENTE

«Faute de soleil, sache mûrir dans la glace » dit le poète Henri Michaux. Mais ici, à la lisière de la banquise, en juin, il y a soleil et glace, un soleil magnifié par la glace, une immensité de glace portant une immensité de silence. Sous la petite tente entourée d'un silence démesuré, Trom, enfoui dans son sac de couchage, perçoit les voix les plus profondes de son esprit et en quelque sorte voit au plus profond de son esprit. La voix qui monte en lui parle de ce pôle d'attraction qu'est le Nord, de ce magnétisme déposé en lui dès l'enfance, elle lui parle de ces territoires d'aride beauté où l'être se dépouille de l'accessoire pour atteindre ce mûrissement qui est notre quête de toujours.

Trom entend la voix qui est vraiment la sienne. Cette voix le convie au dépassement de soi, à la traversée des

aridités, seule condition pour connaître l'affranchisse-
ment des peurs et des doutes, seule condition pour toucher un peu de la beauté des choses. Le Nord n'en a-t-il
pas appelé plus d'un à cette expérience de la traversée
qui libère et qui mûrit?

Mais d'où viennent ces voix si profondes? Pourquoi
est-ce précisément ici, à la lisière de la banquise, que les
voix personnelles viennent lui parler de si loin?

Tout à coup Trom se rend compte de l'endroit exact
où il se trouve. Sous sa petite tente, sous l'épaisseur de
glace de la banquise, s'étendent les prodigieuses profondeurs de la mer arctique. Sa tête repose sur des centaines de mètres d'eau froide où vivent une flore et une
faune presque inconnues, où passent des poissons, des
baleines blanches, des narvals, des loups marins. Son
oreille aurait-elle l'acuité de certains autres vivants
qu'elle percevrait le chant aquatique des loups marins,
le cliquetis des narvals et le sifflement des marsouins
blancs, toutes vocalisations transportées par l'immensité noire dont Trom n'est séparé que par un mètre de
glace, laquelle d'ailleurs pourrait ici même sous lui se
fissurer si venait à souffler un fort vent du sud-ouest.

C'est ce qui arrive parfois, se dit Trom. Une couche de
glace se lézarde dans notre esprit. Nous découvrons alors
que nous portons d'insoupçonnées profondeurs obscures
où survivent tous les êtres de la création, où des voix
demandent à traverser le silence, où toutes les voix qui
sont nos propres voix enfouies parlent sans cesse le langage qui est notre vrai langage, celui où la poésie a une si
grande part. Le sens de la vie, un jour ou l'autre, ne nous
est-il pas révélé par l'écoute de nos voix personnelles?

CARNET VERT, PAGE VINGT-DEUX

Celui qui sait marcher sur la glace peut deviner où se trouve la chaleur. Courir vers la mer va-t-il combler la soif? Aller vers le nord n'est pas signe de sécheresse.

Si tu habites vraiment le lieu que tu as choisi, tu sentiras comme la terre est vivante. Elle bat comme un muscle que l'on nourrit. Elle va, elle vient entre le feu et le froid.

De la solitude parfois il t'arrive un guide, pour le passage des cassures et des failles, pour la traversée de la plus grande plaine qui soit au monde et qu'en tes clairs moments tu appelles ta propre vie.

PASSAGE DU GLACIER
(carnet vert, page treize)

Dans le but de filmer les nombreux oiseaux qui fréquentent les lieux, Duve établit pour l'été un campement sur le versant sud d'une vallée glaciaire appelée Qartikturvik, mot inuit signifiant *Là où un homme a changé de pantalon.* Il s'agit en fait, selon Scotteen, d'une véritable oasis arctique où règne un microclimat exceptionnel. La vallée, au fond de laquelle coule une rivière cristalline, est fermée au nord par un glacier gigantesque, superbe de forme et de clarté, glacier qui prend naissance au centre de l'île et qui depuis qu'il a commencé de retraiter il y a quelques siècles, a dégagé le lieu où nous nous trouvons. Duve a demandé à Pick d'écrire ses impressions sur le paysage. Le poète s'est donc retiré sous notre petite tente. Au bout d'une heure, devant la caméra, il lit cette page :

Avoir cent mille ans devant soi suffit peut-être
Pour comprendre la force, la blancheur, la patience du glacier.
C'est un grand corps de neige que les siècles durcissent
Et qui vient pondre un corps de lui-même dans la mer.

Avoir un siècle devant soi est peut-être suffisant
Pour recevoir toute la lumière de l'iceberg.
C'est un corps de glacier voyageant dans la mer,
Tête émergée d'un corps aussi vaste que la falaise
Puisque toute clarté porte un secret plus profond que sa clarté.

PICK DIT À TROM

Les mots de la chanson, on les connaît depuis toujours. Ce sont souvent les mêmes : une variation sur le manque, sur l'inconsolation qui habitent en permanence au fond de toute existence humaine.

C'est l'air de la chanson qui est long à venir. Il vient avec le passage de la rivière derrière les arbres, avec le souffle qui soulève les céréales, avec le froufroutement d'un oiseau dans la nuit, avec le premier trille du matin, avec le craquement des glaces en mars, avec le halètement des amoureux, avec le pétillement du feu dans le petit poêle, avec le rire de l'oiseau pic-pic, avec le glissement de l'animal au fond du fossé, avec la cascade épousant le creux de la falaise, et le murmure du dormeur et la coulée du vent sur la toile de la tente.

L'air de la chanson est le don le plus simple, le plus mal-
aisé à percevoir.

CARNET VERT, PREMIÈRE PAGE

Sagesse est plus près de la pierre que du vent, plus près du vent que des paroles, plus près de l'eau qui coule et du ciel impitoyable. Tantôt noire, tantôt aveuglante, la sagesse. Matin qui déjà coule vers le soir, lumière de nuit, obscurité qui jette ses lueurs, amour qui ne possède pas, sagesse est bonté avant que d'être connaissance, elle est main ouverte, regard au creux du vase rond. Sagesse est le point crucial entre ton goût pour le pain et la clef que tu te donnes pour ouvrir les songes. Ne perds pas de vue le grand que tu portes, mais il vaut mieux que tu te voies oiseau, arbre, fruit. Un oiseau volant en dedans de lui-même, un arbre aspirant à la pierre, un fruit offert au plaisir de langue.

CARNET VERT, PAGE DIX

Quand tu écoutes ta rumeur secrète, qu'entends-tu? Tu commences par entendre un murmure et, sur fond de murmure, les mots amphore, musique, échalote, puissance, antenne, floraison, miracle. Tiens-toi prêt à saisir ce qui t'appartient, ce qui te va le mieux, ce qui permet d'atteindre un charme. Si tu te délivres de toi-même, tu vivras selon le choix que tu feras en pleine lumière de ton esprit. Sacrifice à la clef. Mais tu sais au moins où tu vas. Et tu as prise sur ta propre existence. Pourquoi le miracle viendrait-il d'ailleurs? Le miracle est dans la délivrance du miracle, dans l'abandon de l'attente du miracle. Le secret est à ta portée. Tu es entouré d'une vie incroyable, des êtres de merveille attendent que tu ouvres les yeux, que tu accomplisses la simplicité de ton bonheur. Jouir d'un paysage aussi vaste est une invitation à la santé.

CARNET VERT, PAGE TRENTE

Au milieu de l'existence tout à coup, dans le moment le moins attendu, arrive le temps des grandes épreuves, le temps de la roche noire et coupante, le temps des ciels opaques et des vents qui mordent. C'est un temps dur et obscur où l'être est conduit à mourir à lui-même, à se défaire de ses vieilles peaux avant de retrouver la bonne vigueur et de s'engager sur le chemin neuf.

Ce temps stérile, qui peut occuper plusieurs mois dans une vie, ressemble étrangement à celui du milieu de l'été où les oiseaux migrateurs cessent de voler et se cachent pour renouveler leur plumage avant le grand voyage d'automne. Ce temps de l'éclipse est pour eux une période de vulnérabilité ouverte à tous les périls, à toutes les menaces.

C'est ce que se dit à lui-même le voyageur parcourant les divers paysages de l'île Bylot où des espaces lumineux débouchent soudain sur des étendues âpres et désolées.

L'ESPRIT DE LA LISIÈRE

(carnet vert)

Après deux jours de voyage en cométique sur la banquise du Goulet de Pond, louvoyant entre les *aglou* (trous de respiration des phoques), à l'affût des meilleurs endroits où franchir les larges failles qui commencent, sous la force du soleil, à lézarder l'immensité blanche, nous arrivons enfin à cette fameuse lisière que Scotteen appelle le *Floe Edge*. C'est là que la banquise, rencontrant la baie de Baffin, se fractionne, sur une distance de mille mètres, en un archipel de plaques glaciques de formes et de grosseurs diverses, séparées par des petites polynies d'eau bleue. Duve, sans attendre, a installé son équipe pour le tournage. L'endroit est magique, toute la vie animale de l'Arctique s'y donne rendez-vous en juin. Dans les espaces d'eau libre où nagent en ce moment des marmettes et des eiders, où passent des labbes et des goélands, où viennent les gerfauts et les corbeaux, tout peut arriver : un narval peut émerger sa lance d'ivoire, un béluga peut venir respirer. Le caméraman a déjà commencé d'opérer quand l'émotion soudain électrise l'équipe entière. Un ours blanc adulte — une femelle, dit Karak, à cause de la forme allongée de la tête — vient de sourdre d'entre les floes, à cent mètres de notre poste d'observation. Aussitôt notre guide saisit son fusil ; avec les ours, on ne sait jamais. L'animal au pelage écru plutôt que blanc, d'un bond leste et assuré, prend pied sur une plaque flottante, s'ébroue comme un chien mouillé, et sans se soucier de nous — il nous a vus à coup sûr — commence à se retourner pour frotter son dos sur la glace, les pattes en l'air. Il gronde, ronfle, grogne. Comme les autres je suis fasciné par cette première apparition de Nanuk, que certains groupes inuits nomment Tornarssuk (*celui qui donne la puissance*). Pick s'approche, me touche le bras.

— Qu'est-ce que vous voyez en ce moment ?

— Pour autant qu'on puisse voir quelque chose dans cette brume de lait éblouissant où nous baignons et qui me transperce les yeux malgré mes lunettes noires, je distingue, au loin, deux icebergs immenses qui dorment, immobiles, sur la mer. Plus près, je vois le magma des floes et cette multitude d'oiseaux à l'affût des nourritures marines. Et puis il y a bien sûr Nanuk qui fait le pitre sur son radeau de glace…

— Et plus près encore, que voyez-vous ?

— Ah ! Je n'avais vraiment pas aperçu ces oiseaux, Pick !

— Et pourtant ils sont là depuis dix minutes…

Tout près de nous, donc, sur un monticule glacé, trois oiseaux sont posés, têtes contre le vent. Des oiseaux de moyenne dimension, d'une blancheur totale, absolue. Seules les pattes noires (qu'on voit à peine) et l'extréminté jaune du bec ajoutent un peu de couleur.

— Ce sont des mouettes blanches, dit Pick. *Pagophila eburnea.*

— Jamais je n'aurais espéré voir un jour des mouettes blanches. Ne sont-elles pas parmi les volatiles les plus rares du monde ?

— On ne peut les voir en cette saison que dans le Haut Arctique et seulement à des endroits très précis ; on peut les chercher durant des mois sans en apercevoir une. Et les voilà donc !

— J'ai l'impression de voir des fantômes, des êtres presque irréels. Tant de blancheur. Comme un résumé de toute la blancheur de l'Arctique.

— Et nous n'avons encore rien vu !

En effet, quand elles s'envoleront dans un moment, quand elles déploieront leurs ailes immaculées, elles deviendront comme transparentes, elles deviendront des êtres de cristal doués de vie. Je comprends maintenant pouquoi l'on dit des mouettes blanches qu'elles sont parmi les plus beaux oiseaux du monde, car pour les voir il faut avoir cette qualité de regard qui rend capable de voir apparaître le blanc dans le blanc, la lumière sur fond de lumière.

— C'est toujours la même chose, dit Pick, on est fasciné par le gros, le massif, le spectaculaire…

— … tandis que le plein de la vie est là, tout à côté. Toujours la même chose.

UN ŒUF TE PARLE

Ce jour-là, Scotteen le biologiste conduit Pick et Trom jusqu'à un nid d'oies des neiges, nid pour le moment déserté. C'est une simple dépression à même le sol spongieux de la toundra. Sous le duvet soigneusement aménagé par les parents en couvercle protecteur reposent trois œufs couleur crème. Scotteen les mesure, les pèse à l'aide d'une petite romaine, inscrit des données dans un carnet rouge. Pick alors prend un œuf dans sa main et longuement le caresse. Puis il le porte à son oreille:

— J'imagine, dit Trom, que cette vie, si petite soit-elle, vous dit quelque chose…

— Oui, attendez. Le silence tout autour est si large que le plus loin se fait entendre.

— Et qu'est-ce que vous entendez, Pick ?
— J'entends :

« Te souviens-tu du jour où tu viendras au monde ? »

« D'où viens-tu quand tu dis que tu es vivant ? »

« Comment peux-tu dire que tu vis si tu n'as pas réalisé ta propre naissance ? »

« Toute coquille renferme une force. Tout œuf contient un soleil. Ne te parlent-ils pas de ce qui va venir quand tu briseras la coquille ? »

« Vois-tu parfois l'ombre que tu contiens ? Vois-tu parfois le soleil que tu portes ? »

« Où est donc la fraîcheur de ton regard quand tu dis que la vie n'a rien à offrir ? »

« Comment peux-tu chaque matin ouvrir les yeux si tu ne crois pas que ce jour sera le premier vrai jour de ta vie ? »

« Es-tu capable de voir la face lumineuse de l'enfer, de percevoir le soleil derrière l'orage, le désir au fond de toute solitude ? »

« Où vas-tu sinon vers une plus grande fraîcheur de vision ? »

Pick remit l'œuf dans le nid. Scotteen replaça comme il était le couvert de duvet. En silence les trois marcheurs regagnèrent le fond de la vallée.

UNE AVENTURE DE PICK

Trom et Pick sont sous la tente, étendus sur leur sac de couchage. À deux heures du matin, le soleil est si brillant qu'il traverse la toile verte et déroute le sommeil.

TROM
Comment arriver à dormir sous ces fléchettes de lumière? Nous baignons dans une incandescence qui, malgré nous, étrangement nous repose tout en vivifiant nos pensées…

PICK
Quant à moi, ce n'est pas le soleil qui me tient éveillé, mais tout un bouquet d'images qui ne cesse d'iriser mon

esprit. Je vous avouerai que cette journée a été l'une des plus claires de ma vie. Il s'est passé quelque chose de très fort et même de décisif pour moi.

TROM

Je me suis rendu compte, en effet, qu'il se passait quelque chose quand Duve, pour réaliser un simple plan de coupe, vous a demandé de faire quelques pas dans la direction opposée à la caméra. Malgré ses appels, vous avez continué à marcher, marcher, marcher sur cette grève de sédiments durcis, en direction du détroit d'Éclipse où d'incroyables icebergs étincelaient.

PICK

Je vais vous raconter ce qui arrivé. Vous vous souvenez de l'endroit : le delta de la rivière glaciaire où s'est accumulée avec le temps une sorte de vase solidifiée, absolument plane et unie, s'étendant à l'infini vers le bras de mer. Le soleil régnait dans un ciel sans nuage, ce qui est rare dans le Grand Nord.

TROM

On entendait dans le lointain une sorte de tonnerre sourd…

PICK

Il s'agissait en fait du bruit que produit, à de très grandes distances, un glacier en train de vêler. Ou un bloc de glace se détachant d'un iceberg. Vous vous souvenez de cette étrange atmosphère qui nous entourait. Nous étions si minuscules dans l'immense paysage.

TROM

Et puis vous avez commencé à avancer, votre bâton de marche à la main.

PICK

À chacun de mes pas, il me semblait que je pénétrais dans univers absolument neuf, que j'étais au début du monde, sur le toit de la terre, et que si j'allais un peu plus loin j'allais découvrir quelque chose de capital. À aucun moment je ne me suis retourné, vous l'avez remarqué, mais je savais que l'équipe de tournage était très loin derrière moi, que les appels de Duve, que j'entendais (on entend tout dans l'Arctique), ne s'adressaient plus à moi. À un moment donné j'ai aperçu des pistes d'oiseaux sur cette surface de sable et de vase durcis où je posais mes pas. Des traces d'oies dessinées avec une remarquable précision. J'ai pensé alors à l'origine de l'écriture chinoise. Ca ne vous dit rien ?

TROM

Je connais cette légende qui raconte qu'un empereur chinois, ayant vécu il y a plus de quatre mille ans, se promenait un jour sur une plage où il aperçut des traces gravées sur le sable par les pattes palmées des oiseaux de mer. Ces signes, pour lui, recréent la présence et l'identité de l'oiseau. Il est absent, mais quelque chose de son être est là, qui le définit. C'est ainsi qu'est née l'écriture remarquable de la Chine éternelle.

PICK

C'est bien à cela que je pensais, à ce qui vient avant l'écriture et qui, d'une certaine manière, dans une vie d'homme, est plus importante qu'elle. Et puis tout à coup, à mesure que j'avançais, j'ai eu une sorte de vision…

TROM

Un mirage ?

PICK

Une vraie vision. Là bas, devant moi, à une distance impossible à mesurer, j'ai vu venir vers moi des personnes. D'où venaient-elles donc ? J'ai pensé à un groupe d'Inuits, adultes et enfants.

TROM

Et pourtant je ne voyais que vous au loin…

PICK

À mesure qu'ils s'approchaient, je commençais à reconnaître des gens, des gens de ma connaissance, ma femme tout d'abord, mes trois filles, mes parents, quelques amis très chers dont certains même sont morts depuis longtemps. Ils se sont arrêtés là, à quelques mètres devant moi, ils m'ont souri avec une indescriptible tendresse, puis sont repartis se fondre dans une sorte de caravane innombrable d'êtres humains en route vers l'infini. Je n'ai pas eu besoin de parler. Je savais que c'était une vision. Et je comprenais, dans une grande joie et une parfaite lucidité, que ces personnes étaient la première vraie richesse de ma vie, le pivot humain sur lequel reposait ma joie de vivre et le fondement de mon bonheur.

TROM

Il aura donc fallu que vous veniez jusqu'ici pour vous apercevoir ?

PICK

Mais oui, je l'avoue. Il aura fallu que je me trouve en ce point de l'univers, en ce lieu de solitude et de silence, pour voir en un instant toute ma vie, pour voir que l'écriture n'est rien si elle ne garde trace des êtres que le destin nous a donnés pour passer avec nous sur la terre.

TROM

Pendant que nous vous attendions, nous avons vu qu'à la lisière du delta et de la mer, vous vous êtes arrêté. Il m'a semblé vous voir écrire dans votre carnet.

PICK

J'ai noté en effet sur mon calepin un texte qui s'est présenté à moi d'une seule venue, une sorte de poème dont je ne pourrais rien retrancher et auquel je ne pourrais rien ajouter. Je vais vous le lire :

Le seul chemin où l'on avance vraiment
Est celui qui nous mène au profond
D'un être humain, que l'on chérit, que l'on aime
Et qui nous ouvre ses portes les moins visibles.

Marcher seul pour se retrouver
En un lieu de confins et d'origine
Où viennent peu à peu et si limpides
Les visages de ceux qui nous accompagnent
En ce monde de sel durci.

Marcher seul sur le toit du monde
Parmi les blocs sourds et les ailes de cristal
Découvrir enfin le passage
Où le voyageur se dépouille pour se naître plus large
Et pour inventer un moi qui s'ouvre dans un nous.

SÉANCE D'AQUARELLE
SUR LE TOIT DU MONDE

Trom écrit dans son carnet vert :

Le plaisir que l'on prend à étendre des couleurs sur un papier vaut bien celui de marcher sur la neige, d'avancer sous un ciel de lumière. C'est joie de donner forme à ce que le monde diffuse en soi, de donner forme à la manière dont la clarté se fractionne en teintes multiples dans notre esprit. Grâce à une étrange alchimie on crée parfois des couleurs rares qui arrivent à combler un profond besoin de se peupler soi-même, de se transformer en paysage.

Et que dire de l'extraordinaire aventure qu'il m'a été donné de vivre aujourd'hui et qui représente sûrement le rêve de tout aquarelliste, fût-il comme moi un simple débutant. Duve a demandé au pilote de l'hélicoptère de me déposer sur le glacier millénaire qui est à lui seul cristal et clarté, masse de transparence venu des âges lointains, prisme gigantesque posé sur le toit de la planète. Assis sur mon banc de glace, j'ai ouvert ma boîte de couleurs et j'ai tenté de rendre les formes et les teintes d'un silence démesuré. Devant moi, la vallée glaciaire de Qartikturvik transporte des eaux limpides à travers un fabuleux delta jusqu'au détroit d'Éclipse où paressent deux icebergs d'une blancheur presque aveuglante. Au loin, la côte de la péninsule de Borden, le point le plus septentrional de l'île de Baffin, déroule le profil de ses sommets usés par des âges de glace et de vent. Suis-je parvenu à rendre le fondu de ces mauves et de ces ocres, l'orangé du ciel devenant de l'or quand il plonge dans l'étendue liquide? Suis-je arrivé à faire voir les étranges couleurs des deux collines latérales limées jadis par ce glacier qui m'est en ce moment un balcon sur l'infini?

UNE TECHNIQUE
COMME UNE AUTRE

Pour trouver le sommeil sous la tente, pendant les nuits ensoleillées du Grand Nord, Trom et Pick imaginèrent un jeu spécial : échanger jusqu'à épuisement des expressions inventées à partir, par exemple, du verbe avoir. Qu'est-ce que cela pouvait donner ?

PICK : avoir du bois à lire

TROM : avoir bon pied bon heur

PICK : avoir la tête entre les arbres

TROM : avoir l'air pense-bête

PICK : avoir l'armoire à l'oreille

TROM : avoir montagne par-dessus l'ornière

PICK: avoir mot et vermeil

TROM: avoir le menton sur l'estomac

PICK: avoir son nuage de tout cela

TROM: avoir le sacré à la bouche

PICK: avoir une mouche sur la moutarde

TROM: avoir un triangle aux aisselles

PICK: avoir l'os à la bouche

TROM: avoir le pont sous la rivière

PICK: avoir foi et soif

TROM: avoir de l'eau dans le gazon

PICK: avoir le souffle à pépé

TROM: avoir l'esprit sain

PICK: avoir le périple à pluie

TROM: avoir peur de son propre miel

PICK: avoir le chien au nord

TROM: avoir autant d'oiseau que de chien

PICK: avoir le bol au ras

TROM: avoir le bras en peine

PICK: avoir languette

TROM: avoir petite offense

PICK: avoir les sens interdits

TROM: avoir l'idiot sur les lèvres

PICK: avoir le calumet coupé

TROM: avoir la plume folle

PICK: avoir pour métier le don

TROM: avoir le chagrin au dos

PICK : avoir les genoux ailleurs

TROM : avoir montagne sous le bonnet

PICK : avoir encore et encore

TROM : avoir la somme et la veille

PICK : avoir le son de la mer

TROM : avoir sommeil ?

PICK : avoir tout juste le temps de dire : bons rêves…

TROM : avoir…

LA VALLÉE DES PROVERBES

Des ennuis techniques obligèrent Duve à interrompre le tournage pour trois jours. C'était au meilleur de l'été arctique ; le soleil de juillet exaltait, dans la toundra, l'or des dryades et le flamboiement des saxifrages. Scotteen alors proposa à Pick et à Trom d'entreprendre une courte expédition vers une vallée secrète que lui avait révélée, dix ans auparavant, son premier guide inuit. Selon ses dires, ils allaient découvrir la merveille cachée de l'île Bylot.

Sac au dos, ils entreprirent, à pied, de traverser la vallée de Qartikturvik, de gravir la pente douce des collines de l'ouest, de longer des falaises abruptes, de circuler sur des plaines spongieuses, de franchir d'autres vallées où des petits groupes d'oies sauvages, des parents et leurs oisons, broutaient une maigre verdure. Après dix heures de marche, entrecoupées de séances de contemplation, Scotteen prépara ses compagnons à ce qu'ils allaient bientôt voir.

Devant eux soudain apparut une colline fumante.

— Un volcan? Une soufrière peut-être?, demanda Pick.

— Ici, en juillet, répondit Scotteen, la force du soleil provoque un curieux phénomène de condensation qui fait se lever de cette pierre nue cette vapeur blanche, très dense, qui rappelle effectivement la présence d'un feu souterrain. Mais préparez-vous, nous arrivons.

Au faîte de la colline, ils aperçurent derrière les rideaux bougeants de buée opaque une gorge très profonde, longue de deux kilomètres environ, devant laquelle Trom et Pick restèrent muets. Non seulement à cause du ruban d'eau verte qui en bas bouillonnait sur les roches, mais à cause surtout d'une grande quantité de monuments bizarres, tous en pierre de diverses couleurs, qui s'élevaient à flanc de falaise à des hauteurs parfois impressionnantes. Il y avait là des tours, des minarets penchés, des donjons sans ouvertures, des menhirs gigantesques, des aiguilles rocheuses et une infinité de colonnes supportant des sculptures d'une précision confondante. Les hauts socles étaient là, on aurait dit, pour offrir au regard les figures les plus extravagantes : des formes animales dans toutes les positions, des visages et des corps humains, des oiseaux au profil biscornu.

TROM: J'ai l'impression que nous venons d'atteindre un pays habité jadis par un peuple de sculpteurs.

Dites-nous, Scotteen, est-ce que cette vallée mystérieuse porte un nom ?

SCOTTEEN : Ce lieu est si étrange que les Inuits, pour une raison que j'ignore, se sont abstenus, contre leur habitude, de le nommer. Comme pour éviter de réveiller l'esprit qui semble y dormir. Mais la première fois que je suis venu ici, un nom s'est imposé tout de suite à moi : la vallée des Hoodoos. Je me demande encore pourquoi…

PICK : Tristesse et nostalgie, peut-être. En tout être dort une attente qui demande à être comblée. Une simple forme naturelle vient parfois satisfaire une vieille attente insoupçonnée…

TROM : Comment la nature s'y est-elle prise pour créer ces formes étonnantes ?

SCOTTEEN : Un glacier, voilà des centaines d'années, a occupé cette gorge. En fondant, il a déposé une importante couche de sédiments que par la suite l'eau et le vent ont travaillés et ciselés en inventant toutes ces figures. Un peu comme ces sculptures naturelles que l'on admire aux îles de Mingan…

TROM : Je sens venir le moment où Pick va établir un parallèle avec le phénomène de la création artistique…

PICK : Justement. On ne peut s'empêcher de penser à ce qui se passe dans l'âme du créateur. Des couches d'expériences venues de très loin, héritées parfois de générations d'ancêtres, se déposent et sédimentent au fond de l'être. Puis viennent les vents de l'esprit, les souffles de ce qu'on nomme l'inspiration, qui modèlent, donnent forme et sens aux matières.

Pendant une heure ou deux, tout en mangeant et en se reposant, les trois explorateurs s'amusent à nommer

ÉLÉVATION

Comment savoir où l'on est vraiment en ce monde? Et comment comprendre toutes les dimensions d'un paysage si l'on n'atteint pas un peu d'altitude? Mais une fois en vol, comment continuer à voir ce qui vit, en bas, à fleur de terre, si l'on n'acquiert pas le regard de l'oiseau?

Parmi les mille façons de devenir oiseau, la plus simple est de prendre la mesure de tout ce qui en vous cherche à prendre son essor, de tout ce qui aspire à monter, non pour fuir la réalité, mais pour mieux habiter l'ensemble du réel. Ce besoin de s'arracher, cette soif d'envol, il suffit pour les nommer d'utiliser un simple mot: OISEAU. Le reste est affaire d'audace, de légèreté, de fantaisie.

Il existe un autre moyen, beaucoup moins facile. Il est accessible, il faut le dire, à bien peu de personnes quand on se trouve au cœur de l'Arctique. Cette faveur est accordée à Trom et à Pick un 18 août, à cinq heures du matin, alors que se présentent enfin les conditions idéales d'envol. La magnifique montgolfière blanche que Duve a fait transporter par avion de Montréal à Bylot, s'élève dans le ciel polaire, telle un «œuf gigantesque», selon les mots de Karak, qui assiste au décollage avec dans les yeux une lueur d'étonnement et de fascination. Et alors? À quoi pensent les deux aérostiers, tassés dans l'étroite nacelle, pendant que le pilote fait flotter le ballon immaculé au-dessus de la vallée glaciaire?

Ce vent coulant dans un autre vent, dit Pick, c'est vous. Ce plus léger que l'air glissant sur l'air léger, cette plume d'ouate fondue dans l'immensité du silence, c'est toujours vous. En fait, vous êtes mieux qu'un oiseau, vous êtes un vous-même emporté par les délices de la pensée. Ainsi vous pouvez, sans les alarmer, survoler les groupes d'oies dispersées sur la toundra. Mêlé au monde des ailes, il vous est loisible de modifier votre élévation, de frôler le sommet des collines, de monter jusqu'aux bas nuages, de vous couler dans le caprice des vents pour suivre le tracé d'un torrent glaciaire, pour saisir toutes les nuances de la mince et fragile végétation.

Votre altitude vous permet même, ajoute Trom, de voir la route que dans quelques jours les grandes oies emprunteront pour amorcer leur migration d'automne vers le Sud. Vous les imaginez en train de survoler à faible hauteur les masses rocheuses et les fjords de Baffin. Vous les voyez traverser cette terre où s'est formé le grand glacier qui a sculpté la vallée du Saint-Laurent il y a dix mille ans. Les volées s'allongent. Elles franchissent le détroit d'Hudson pour toucher la péninsule de l'Ungava. À très haute altitude maintenant, portées par des vents propices, les flèches étincelantes dominent les plaines tremblantes constellées de lacs. Elles survolent la forêt nordique du Québec, puis la région de Charlevoix. Elles aperçoivent enfin les battures de l'île d'Orléans, celles de Montmagny et du cap Tourmente, où bientôt elles se poseront dans une effervescence de cris et de lumière.

LE RETOUR

Trom demande à Pick ce qu'il se propose de faire à son retour du Nord.

J'irai, dit-il, au bord du fleuve, sur les grandes battures de l'estuaire, comme vous sans doute, et j'accueillerai les oies des neiges quand en septembre elles reviennent de Bylot. Elles me sembleront plus lumineuses qu'elles ne l'ont jamais été. Pendant les trois mois de leur séjour arctique, elles se sont rassasiées des plantes de la toundra qui elles-mêmes se sont fortifiées du soleil de vingt-quatre heures. Les oies n'ont pas cessé pendant trois mois de se gorger de la constante clarté du Nord à même un soleil qui jamais ne fléchit derrière les montagnes. Et cette blancheur d'automne, ne vient-elle pas de ce que les oiseaux ramènent dans chaque cellule de leur corps, dans chaque fibre de leur plumage, l'étincelante lumière de Bylot? Cette clarté des oies revenant de l'Arctique, je l'accueillerai comme l'image de ce qui se passe dans mon travail.

Cette lumière, je la prendrai avec moi, je vais m'allumer de ce feu pour m'envoler en moi-même, pour monter dans mon travail, pendant cette saison où l'on cueille les fruits de l'été. Et là, dans l'antre de solitude et d'accomplissement, je prendrai ce qui a germé, poussé, fleuri, je prendrai tout ce que j'ai emmagasiné dans mes coffres intimes, tout ce qui est entré en moi pendant les semaines où le soleil a fait mûrir les réalités sensibles, je vais prendre tout cela et je vais travailler à transformer cette nourriture en énergie et cette énergie en fruits que l'on donne. Je m'envolerai dans mon travail d'automne pour donner ce qui m'a mûri.

LE MOT DE LA FIN

Trom et Pick sont assis, à même le sol, au bord du lac formé il y a quelques centaines d'années par le retrait du grand glacier. Un couple de huarts arctiques nagent, plongent, émergent, vocalisent et se poursuivent avec une ardeur frétillante.

PICK: Duve m'a demandé de composer un court texte qui devrait prendre place tout à la fin du film. Je le retourne dans ma tête depuis des jours. J'aimerais savoir ce que vous en pensez.

TROM: Je vous écoute.

PICK: Je vais vous dire un mot de la fin. C'est le mot soif. Car c'est elle, la soif, qui indique le chemin entre la nécessité de partir et celle d'entreprendre. Ne nous reste-t-il pas à inventer une terre où tous les cris qui griffent la nuit tracent un début de clarté, comme l'oiseau qui nous hante est la figure de notre inquiétude et peut-être de notre espoir?

À l'instar des grands migrateurs qui, jamais en repos et toujours sur l'aile, n'arrivent que pour recommencer leur périple vers d'autres rivages, d'autres lumières, d'autres nourritures, je ne conçois pas de plus haut travail que celui qui nous arrache sans cesse à tous les pièges de la facilité, pour nous lancer toujours plus avant, vers de nouvelles brûlures et, qui sait?, vers de nouveaux embrasements.

TROM (*après un silence*): C'est ce qu'il faut dire, oui. Dans cette partie du monde aride et inclémente, merveilleuse aussi de lumière, où tant d'êtres humains ont connu les douleurs de la vraie faim, nous y avons, vous et moi comme tant d'autres, rencontré un manque, une sorte de soif qui nous élève vers un peu plus de clarté. Vous vous souvenez sans doute de Toni, le jeune industriel italien, que nous avons connu quand les deux motoneiges et les longs cométiques se sont croisés sur la banquise...

PICK: Les deux guides inuits, qui avaient beaucoup à se raconter, ont longuement palabré à l'écart. Pendant ce temps, l'homme d'affaires s'est extrait de ses fourrures et, riant, énervé, exubérant, a quitté le traîneau et vous a parlé de ce qu'il venait de vivre.

TROM: Cet homme avait vécu toute une semaine, en compagnie de son seul guide qui, vous vous en souvenez peut-être, était un chasseur âgé et encore solide. Toni m'a confié que cette expédition sur la banquise, en «camoti» comme il disait, avait changé sa vie, qu'il avait beaucoup réfléchi à son mode de vie, qu'il s'était trouvé lui-même et qu'il venait de prendre la décision capitale de quitter ses fonctions et ses affaires. Il se proposait d'ailleurs, de retour à Mitimatalik, de téléphoner à sa femme pour lui apprendre la nouvelle de sa transformation et l'inviter à venir le rejoindre à Montréal. Il avait même l'intention de s'établir dans notre pays pour être, comme il disait, juste devant la porte de l'Arctique. Il se proposait d'y revenir chaque été, avec sa femme, pour vivre avec les Inuits et partir avec eux en expédition.

PICK : Venir si loin pour trouver le plus simple.

TROM : Avant de monter dans le traîneau, Toni a sorti un calepin de sa poche et m'a lu une phrase que son guide lui avait dite un ou deux jours auparavant, sous la tente.

PICK : Et vous vous rappelez cette phrase ?

TROM : Sache reconnaître l'oiseau qui passe par ta maison. Toujours il y aura un chant au moment le plus dur du chemin.

PICK : Mon cher ami, le voilà, le mot de la fin !

TABLE DES MATIÈRES

TROM ET MINNE

TROM VOYAGE

TROM DESSINE

TROM ÉCOUTE

TROM S'ENVOLE